D1047757

Le guide canadien de la **PETITE ENTREPRISE**

L'outil essentiel pour lancer et gérer sa petite entreprise

Susan Kennedy-Loewen

Introduction de John Bulloch
Fondateur de la Fédération canadienne de l'entreprise indépendante (FCEI)

Traduit par Madeleine Hébert
Révisé par Nathalie Viens

Guy Saint-Jean
ÉDITEUR

Catalogage avant publication de la Bibliothèque nationale du Canada
Kennedy-Loewen, Susan
Le guide canadien de la petite entreprise
Traduction de : The Canadian small business handbook.
Comprend des réf. bibliogr. et un index.
ISBN 2-89455-133-9
1. Petites et moyennes entreprises - Gestion. I. Titre.
HD62.5.K4614 2003 658.02'2 C2003-940229-0

Nous reconnaissons l'aide financière du gouvernement du Canada par l'entremise du Programme d'Aide au Développement de l'Industrie de l'Édition (PADIÉ) ainsi que celle de la SODEC pour nos activités d'édition.

Patrimoine canadien Canadian Heritage Canada SODEC Québec

Gouvernement du Québec – Programme de crédit d'impôt pour l'édition de livres – Gestion SODEC
© pour l'édition en langue anglaise ayant servi à cette traduction Key Porter Books 2002
Publié originalement au Canada par Key Porter Books Limited, Toronto, Ontario, 2002
© Pour l'édition en langue française Guy Saint-Jean Éditeur Inc. 2003

Conception graphique de la couverture : Peter Maher
Conception graphique de l'intérieur : Christiane Séguin
Traduction : Madeleine Hébert
Révision linguistique : Nathalie Viens
Dépôt légal 2e trimestre 2003
Bibliothèques nationales du Québec et du Canada
ISBN 2-89455-133-9

Distribution et diffusion
Amérique : Prologue
France : E.D.I./Sodis
Belgique : Diffusion Vander S.A.
Suisse : Transat S.A.

Tous droits de traduction et d'adaptation réservés. Toute reproduction d'un extrait quelconque de ce livre par quelque procédé que ce soit, et notamment par photocopie ou microfilm, est strictement interdite sans l'autorisation écrite de l'éditeur.

GUY SAINT-JEAN ÉDITEUR INC.,
3154, boul. Industriel, Laval (Québec) Canada. H7L 4P7. (450) 663-1777.
Courriel : saint-jean.editeur@qc.aira.com Web : www.saint-jeanediteur.com

GUY SAINT-JEAN ÉDITEUR FRANCE,
48 rue des Ponts, 78290 Croissy-sur-Seine, France. (1) 39.76.99.43.
Courriel : anagramme.editions@free.fr

Imprimé et relié au Canada

Ce livre est dédié à ma mère, Marion Kennedy,
de qui j'ai appris la passion pour mon travail
et l'art de la persévérance,

à mon mari et meilleur ami, David,
qui illumine ma vie avec son amour et sa présence,

à mes collègues de la Banque Scotia,
dont l'appui continuel a tant compté pour moi,

ainsi qu'à Ron, Zhen et Wendy,
sans qui cet ouvrage n'aurait peut-être jamais vu le jour !

Table des matières

Introduction	John Bulloch	6
Chapitre 1	Un rêve canadien : posséder sa propre entreprise	10
Chapitre 2	Le démarrage de votre entreprise	22
Chapitre 3	Les sources de financement	45
Chapitre 4	Le plan d'affaires	73
Chapitre 5	Une équipe gagnante	85
Chapitre 6	La gestion de votre entreprise	95
Chapitre 7	L'embauche de personnel	113
Chapitre 8	Le développement de votre entreprise	126
Chapitre 9	Internet et les affaires	138
Chapitre 10	Les états financiers	150
Chapitre 11	La vente de votre entreprise	180
Annexe	Ressources pour les propriétaires de petites entreprises	195
Bibliographie		215
Index		216

Introduction

Par John Bulloch

Fondateur et chef de la direction de Vubiz Ltd.,
fondateur et ancien président de la Fédération canadienne
de l'entreprise indépendante (FCEI)

Pour les fondateurs et dirigeants de petites entreprises, les principaux motifs de frustration proviennent des gens qui ne comprennent pas ce qu'ils font. Il peut s'agir d'un directeur de comptes peu sympathique, d'un percepteur d'impôts zélé, d'un fonctionnaire pointilleux, d'un comptable occupé, d'un avocat dont les honoraires sont élevés, de politiciens avec leurs promesses, ou tout simplement de représentants de quelque grande société voulant une clientèle sans connaître ses besoins. Je m'imagine souvent les propriétaires de petites entreprises comme des guérilleros de l'économie essayant de survivre dans un environnement hostile.

La vie dans un tel milieu engendre en quelque sorte une sous-culture de la petite entreprise, où des réseaux fiables de conseillers et de fournisseurs contribuent à la réussite des petites entreprises. Or, une compréhension en profondeur des petites entreprises est l'atout majeur de la Fédération canadienne de l'entreprise indépendante (FCEI), organisme de pression que j'ai fondé en 1971 et qui compte maintenant 100 000 membres. Chacun de ses membres est consulté en personne une fois l'an. De plus, toutes les décisions prises par la FCEI sont entérinées par un vote majoritaire des membres. La FCEI est à l'écoute des propriétaires de petites entreprises ; c'est pourquoi elle est devenue un partenaire de confiance dans leurs réseaux.

En relisant le manuscrit du présent ouvrage pour écrire mon avant-propos, j'ai en quelque sorte revécu mon expérience de travail au cœur de l'entreprise de ma famille, Bulloch Tailors, commerce torontois reconnu de vêtements sur mesure. Après avoir quitté un emploi stable au grand magasin Eaton en 1938, mon père a fondé cette entreprise avec une bonne dose de passion et d'enthousiasme. Je me revois encore, gamin de cinq ans, en train de courir dans le nouveau magasin de mon père pendant qu'il installait des tablettes avec l'aide de son voisin. Tout le monde était au comble de l'excitation. Dès l'âge de dix ans, j'étais à la caisse de notre magasin pour aider les clients et m'acquitter de multiples petites tâches. Cette époque m'a légué les plus précieux de mes souvenirs. Quand j'ai été assez vieux pour m'intéresser aux affaires, mon père m'a expliqué qu'il avait décidé de ne fonctionner qu'avec des ventes au comptant et de miser sur le capital client. C'est ainsi que, lors de la seule vente réalisée au cours de la première semaine d'existence du magasin, quand le client a demandé qu'on lui fasse crédit, mon père a refusé. C'était une décision courageuse mais nécessaire car, selon lui : « On fait faillite en affaires seulement lorsqu'on n'a plus d'argent. »

Puisque de nombreuses relations familiales y sont en jeu, il est difficile de décrire ou d'étudier une petite entreprise. Chez nous, c'est ma mère qui se chargeait de la comptabilité. Et tous les frères de mon père, après avoir émigré au Canada en provenance de Belfast, ont commencé leur vie dans leur nouveau pays en travaillant dans l'entreprise familiale. De leur côté, mes trois jeunes frères ont aussi fait durant leur jeunesse leur apprentissage à la fabrique de vêtements et au magasin. Par ailleurs, nous avons tissé des liens étroits avec nos employés, que nous considérions comme des membres de notre famille étendue.

La période la plus intéressante pour moi a été celle où mon père a bâti le réseau de conseillers et de fournisseurs pour sa petite entreprise. Il a commencé avant même l'ouverture de son commerce, dont la planification s'était étalée sur les cinq années précédentes. C'est pourquoi, par exemple, quand mon père a enfin inauguré son magasin, le fondateur de Tip Top Tailors lui a donné en cadeau une grande table de chêne. Elle y est restée pendant plus de 50 ans.

Tout le temps que j'ai travaillé dans son entreprise, mon père m'a emmené avec lui lors de ses visites hebdomadaires au directeur de la banque. Pour se familiariser avec les questions financières, mon père avait suivi des cours du soir de comptabilité de base avant de démarrer son entreprise. Car, disait-il pertinemment : «Il est important de savoir ce qu'on ne sait pas». La relation de confiance et d'amitié entre mon père et son banquier a duré plus de deux décennies. Une telle situation se reproduit rarement de nos jours : sitôt que les directeurs des comptes des petites entreprises commencent à comprendre les besoins de leurs clients, ils sont généralement promus à des postes plus importants.

Après avoir rencontré le directeur de la banque, mon père et moi allions ensuite visiter nos principaux fournisseurs : fabricants de complets, grossistes de lainages anglais, commerçants de boutons, de fils, de doublures, etc. C'était une grande tournée ! Mon père avait pour principe de toujours traiter ses fournisseurs le mieux possible parce qu'ils constituaient ses meilleures sources de conseils techniques et d'informations sur les conditions du marché. Grâce à ses ventes au comptant uniquement, il pouvait respecter les échéances des paiements à ses fournisseurs et ainsi bénéficier de réductions.

À ses débuts, l'entreprise de mon père a pris de l'expansion grâce à la vente d'uniformes aux officiers durant la Seconde Guerre mondiale. Pendant les fins de semaine, je l'accompagnais dans ses visites aux différentes bases militaires afin de prendre les commandes et les mesures de ses clients. Lorsqu'il avait fondé son entreprise en 1938, mon père n'avait pas prévu se lancer dans le commerce des uniformes militaires. Mais il avait saisi cette occasion quand le Canada avait déclaré la guerre à l'Allemagne en 1939. L'opportunisme des propriétaires de petites entreprises est une de leurs caractéristiques.

Mon père ne comptait pas encaisser d'énormes bénéfices avec la vente d'uniformes militaires. Mais il prévoyait que, s'ils survivaient à la guerre, beaucoup d'officiers ayant porté ses uniformes deviendraient des clients à vie de son magasin. Il avait raison, d'ailleurs : durant les quarante années qui ont suivi la fin de la guerre, tous ceux qui avaient acheté ses uniformes cinq pièces pour la somme de 200$ ont figuré parmi ses clients réguliers. Ces habits font partie de notre histoire, et plusieurs se trouvent encore dans les greniers des vétérans et de leurs enfants un peu partout au Canada.

Toute sa vie, mon père n'a cessé de servir ses clients et de leur vendre ce dont ils avaient besoin. Le marketing et la vente sont la base de tout cela, disait-il. Cependant, il savait que son succès dépendait aussi de ses collaborateurs: «Il est impossible d'être expert dans tous les domaines. C'est pourquoi un entrepreneur a besoin d'un bon directeur de banque, d'un bon comptable et de bons fournisseurs pour l'épauler.»

Avec le présent ouvrage, Susan Kennedy-Loewen apporte sa contribution à l'éducation des propriétaires de petites entreprises et de tous ceux qui désirent servir le monde des petites entreprises. De toute évidence, elle connaît à fond ce domaine et sait en parler. Elle possède le profil idéal du banquier de confiance que recherchent les propriétaires de petites entreprises.

CHAPITRE 1

Un rêve canadien : posséder sa propre entreprise

Les petites entreprises sont le pivot de l'économie canadienne et créent chaque année plus de 300 000 nouveaux emplois au Canada. De nombreux Canadiens rêvent de gérer leur propre entreprise : en fait, un travailleur sur six au pays est déjà propriétaire d'entreprise. C'est donc un rêve très accessible. Les Canadiens possèdent en effet les grandes qualités indispensables aux entrepreneurs : ils sont travailleurs, honnêtes et prêts à accepter des défis, à trouver des solutions et à saisir les occasions qui se présentent.

Si on pouvait réduire le marché de l'entreprise au Canada à 100 entreprises tout en conservant les ratios actuels, on obtiendrait le type de profil suivant :

- 77 petites entreprises auraient un chiffre d'affaires inférieur à 1 000 000$;
- 44 petites entreprises auraient un chiffre d'affaires inférieur à 250 000$;
- 97 entreprises auraient moins de 50 employés ;
- 69 petites entreprises constitueraient la seule ou la principale source de revenus de leurs propriétaires ;
- 50 petites entreprises auraient été démarrées à partir de zéro ;
- 20 petites entreprises auraient été achetées ;
- 6 entreprises auraient été reçues en héritage ;
- 53 entreprises n'auraient aucun employé hormis le propriétaire ;
- 25 petites entreprises seraient dans leur première année d'exploitation, dont 20 compléteraient avec succès cette première année ;

- 37 entreprises seraient en expansion ;
- 52 entreprises seraient la propriété ou la copropriété d'une femme ;
- 6 entreprises feraient du commerce électronique ;
- 20 entreprises seraient la propriété d'immigrants.

Pour la dernière décennie, l'augmentation du nombre de petites entreprises au Canada dépasse les 40 %. Il existe maintenant plus de 2,1 millions d'entreprises au pays, et plus de 2,3 millions de Canadiens travaillant à leur compte. Une famille sur quatre au Canada comprend un propriétaire de petite entreprise. On en trouve partout au pays, dans chaque ville et village et dans chaque rue.

La diversité des entreprises de ces 2,3 millions de Canadiens travaillant à leur compte de même que le volume de leurs chiffres d'affaires constituent des éléments importants de notre économie. Lorsque j'utilise l'expression « petites entreprises », je me réfère à ces personnes qui les ont créées. On peut aussi définir une petite entreprise comme une affaire ayant des recettes annuelles inférieures à 1 million de dollars ; 77 % des entreprises au pays entrent dans cette catégorie. On peut également définir autrement une petite entreprise : par exemple, celle qui emploie cinq travailleurs ou moins, ou encore, dont les résultats sont obtenus principalement par le travail du propriétaire. Mais quelle que soit la perspective qu'on adopte, un fait demeure : les entrepreneurs travaillant à leur compte sont une des forces de notre économie.

> « Ne laissez pas la peur et le « bon sens » vous arrêter. Foncez ! »
>
> – Colin Fraser, Porcher Investments Ltd.

Pourquoi tant de gens désirent-ils posséder leur propre entreprise ? Voici quelques réponses :

- Certaines personnes distinguent une possibilité d'affaires et veulent la saisir. Cependant, de nombreux cadres et employés attendent pour démarrer leur entreprise que se présentent des circonstances favorables. La retraite, un licenciement, l'offre d'un régime de retraite anticipée peuvent créer les conditions favorables pour passer à l'action. Je connais beaucoup de gens qui ont commencé leur planification longtemps à l'avance, pour être à même de profiter de la bonne conjoncture quand elle se manifestera.

- D'autres recherchent une meilleure manière d'exploiter leurs talents. Ils sont convaincus de pouvoir offrir des produits ou services plus efficacement, et à meilleur prix, que ce que le marché offre déjà.
- D'autres, encore, veulent prendre leur vie en main: non seulement ce qu'ils font, mais aussi quand, comment et pourquoi ils le font. Travailler à leur compte leur permet ainsi de mieux planifier leur avenir sur le plan financier.
- Les réductions de personnel ont poussé nombre de gens à fonder leur propre entreprise afin de pouvoir exploiter leurs talents et leurs connaissances. Toutefois, ce phénomène n'est pas aussi fréquent qu'on le pense: quelque 15% seulement des petites entreprises sont créées à la suite de réductions de personnel. La plupart des entrepreneurs se sont lancés dans cette aventure parce que cela correspondait à un désir réel de leur part.
- Les horaires de travail flexibles permettent une vie plus équilibrée. Quels que soient leur sexe ou leur âge, beaucoup de gens veulent consacrer plus de temps à leur famille. Les personnes qui restent à la maison pour s'occuper de leurs jeunes enfants ou d'un parent âgé trouvent que travailler à leur compte s'agence bien avec leurs autres responsabilités. De plus, la gestion d'une entreprise à domicile peut représenter la solution idéale pour ceux qui cherchent plus de satisfaction et d'accomplissement dans leur travail.
- Enfin, beaucoup d'individus aiment travailler à leur compte en raison de la liberté que cela leur procure.

Ce qui rend les petites entreprises intéressantes et stimulantes, ce sont leurs caractéristiques particulières et originales. Prendre ses propres décisions et être entièrement responsable de la gestion de son entreprise procurent une sensation de contrôle et d'indépendance qu'il est difficile de ressentir quand on travaille pour quelqu'un d'autre.

Moi-même, j'ai grandi dans un environnement de petites entreprises. Mes parents exploitaient une ferme dans le centre de l'Alberta, et nombre d'autres membres de ma famille aussi. Mes frères et ma sœur ont tous été, ou sont encore, propriétaires de leur entreprise, tout comme mes tantes, oncles, cousins, amis et voisins. À l'école primaire, mes camarades étaient les fils et les filles de propriétaires de petites entreprises de notre petite ville : boucherie, boulangerie, bijouterie, etc.

Le présent ouvrage traite de ce que m'ont enseigné les propriétaires de petites entreprises que j'ai eu la chance et le plaisir de connaître, non seulement dans ma vie privée, mais aussi dans le cadre de mon travail à la Banque Scotia pendant plus de vingt ans. Y sont traitées les bases de la stratégie gagnante pour gérer une petite entreprise selon *vos propres conditions*, afin de vous permettre, tout à la fois, de réussir en affaires et de mener une vie équilibrée et heureuse.

> Selon un mythe très répandu, beaucoup de petites entreprises feraient faillite chaque année. Cela est faux. En 2001, par exemple, moins de 0,5 % des entreprises ont fait faillite.
> De plus, beaucoup d'entrepreneurs cessent l'exploitation de leur entreprise non pas parce qu'elle est en faillite, mais plutôt parce qu'ils ont trouvé une meilleure possibilité d'affaires ou qu'ils ont atteint leurs objectifs avec cette entreprise.

Les quatre fondements de la réussite

Selon les propriétaires de petites entreprises, les facteurs clés de leur succès en affaires sont les suivants :

1. le propriétaire de l'entreprise ;
2. l'équipe ;

3. la clientèle;
4. les fournisseurs.

J'examinerai plus en détail chacun de ces éléments tout au long du présent ouvrage, mais je désire les définir brièvement. Le premier traite de vous, le propriétaire de l'entreprise, et de l'impact que la propriété d'une petite entreprise aura sur vous et votre famille.

Votre vie

Nombre de personnes possédant une entreprise, grande ou petite, évoquent un désir de liberté comme l'une des raisons qui les ont poussées à se lancer en affaires. Elles recherchent une indépendance qui, en plus de leur permettre de déterminer leurs propres horaires et conditions de travail, les libérera des restrictions imposées par les décisions prises par d'autres. Elles veulent également choisir leurs propres priorités. Mais l'une de mes connaissances qui travaille à son compte ajoute, avec un certain humour, que posséder sa propre affaire donne surtout la liberté de travailler sept jours par semaine! En effet, beaucoup d'entrepreneurs réalisent qu'ils travaillent plus que lorsqu'ils étaient employés. La seule différence est qu'ils adorent cela!

Certains ne se rendent même pas compte qu'ils travaillent 60 ou 70 heures par semaine, ce qui constitue souvent un problème. En effet, vous pouvez être tellement pris par la conduite de votre entreprise que vos parents et amis sont relégués au second plan, négligés. Ce n'est pas intentionnel, mais l'effet est le même que si cela l'était. Un déséquilibre s'installe alors dans votre vie: trop de travail et pas assez de loisirs. Même si vous n'envisagez pas ces activités reliées à votre entreprise comme du travail, vous êtes quand même constamment en train de passer des coups de fil, de discuter avec des fournisseurs, de rédiger des rapports ou d'exécuter une des nombreuses tâches rattachées à vos fonctions d'homme-orchestre dans votre entreprise. Vous êtes excité, car vous commencez à avoir un avant-goût de la réussite qui récompensera tous vos efforts. Mais vos proches remarquent votre absence et vous leur manquez. En outre, si vous avez tendance à être un bourreau de travail – et de nombreux propriétaires de petites entreprises le sont –, ce trait de caractère atteindra de nouveaux sommets dans votre nouveau rôle d'entrepreneur.

Bien sûr, réussir en affaires doit être un de vos principaux objectifs. Mais vous ne devez pas négliger la partie «privée» de votre vie, très importante aussi. Pourquoi ne pas prévoir du temps libre dans votre horaire? Comme vous êtes votre propre patron, vous avez tout le loisir de décider du moment le plus approprié pour ces «congés», qui ne seront pas nécessairement pendant la fin de semaine. Cependant, si votre conjoint ou conjointe a un emploi à temps plein et que vos enfants vont à l'école, les fins de semaine (ou les soirées) seront peut-être plus propices pour ces rendez-vous avec vos proches. Par contre, si votre douce moitié travaille à son compte ou à temps partiel, vous pouvez sortir en couple pour aller au cinéma l'après-midi ou au restaurant, le soir, avec des amis.

Si vous vivez seul, il est encore plus facile de tomber dans le piège et travailler tout le temps. Vous pouvez même être fier de montrer à vos amis à quel point vous travaillez fort. Vous abandonnez donc vos sorties au bar du coin ou vos cours de yoga parce que vous n'avez plus de temps pour vous détendre. Cette situation vous semble parfaitement normale, car votre pouls bat au rythme de celui de votre entreprise. Il existe pourtant une autre normalité en dehors de votre travail : un monde dans lequel des amis s'amusent, des familles mangent ensemble, des gens partent en vacances et ont des passe-temps.

Je vous suggère d'expliquer vos projets d'affaires à ceux qui peuvent vous aider à atteindre vos objectifs : cela pourrait alléger votre fardeau de travail. De plus, demandez à vos mentors et aux membres de votre famille et de votre équipe de vous soutenir dans votre démarche. Vous pouvez aussi convenir avec eux qu'ils vous rappellent de temps à autre de ne pas trop travailler et de prendre des moments de détente. Que demander de mieux, en effet, que la satisfaction de vivre une vie professionnelle et personnelle équilibrée?

Votre équipe

Comme tout entrepreneur, vous devez jouer sur deux tableaux: essayer de réaliser vos rêves personnels (achat d'une maison, retraite à 60 ans, éducation universitaire pour vos enfants) et tenter d'atteindre les objectifs que vous avez définis pour votre entreprise. Pour y arriver sans perdre votre paix intérieure, il vous faut constituer le plus vite possible une équipe pour vous épauler. Le chapitre 5 est consacré aux relations que vous tisserez avec votre banquier, votre avocat, votre notaire, votre comptable, votre expert en marketing. Le nombre de personnes dans votre équipe varie selon le type de votre entreprise: vous aurez peut-être aussi besoin d'un planificateur financier, par exemple. N'oubliez pas non plus vos mentors et le réseau d'associés et de collègues que vous avez bâti avec le temps. Tous les membres de votre équipe doivent être capables de vous écouter et pouvoir travailler avec vous rapidement et efficacement, peu importe la taille de votre entreprise. Et s'ils ont le sens de l'humour, tant mieux: c'est une qualité souvent très utile.

Le réseautage représente un atout important pour les propriétaires de petites entreprises. Comme vous travaillez parfois seul, assurez-vous de développer un réseau de personnes œuvrant dans le même secteur d'activité. Comment y arriver? Une excellente façon est de participer à des réunions, à des congrès et à des séminaires. Distribuez aussi vos cartes d'affaires à tous ceux que vous rencontrez et expliquez-leur ce que vous faites.

L'un des membres importants de votre équipe sera votre banquier. Selon votre expertise en comptabilité, vous pouvez peut-être vous débrouiller sans comptable ni aide-comptable, et certaines entreprises n'ont pas besoin d'avocat. Mais toutes doivent faire affaire avec une banque, même si un banquier n'est pas toujours nécessaire. Je fais ici la distinction entre une banque, où l'on dépose et retire son argent, et un banquier, l'employé de la banque avec qui vous traiterez des affaires de votre entreprise : ouverture de compte, négociation d'une marge de crédit ou d'exploitation, obtention de cartes de crédit, conseils en investissement. Et surtout, c'est quelqu'un qui apprendra à vous connaître, vous et votre entreprise. Car votre banquier doit être plus pour vous qu'une personne-ressource pour vos besoins financiers ; il doit également s'intéresser à *vous* et à ce que vous cherchez à accomplir. C'est pourquoi vous devez choisir avec soin : privilégiez quelqu'un qui démontre un intérêt réel pour votre entreprise et désire la connaître dans ses moindres détails. Communiquez à votre banquier votre passion et votre enthousiasme, expliquez-lui vos projets et vos idées, et discutez avec lui de vos espoirs pour votre entreprise.

La relation entre vous et votre banquier est de nature professionnelle bien sûr, mais elle est aussi personnelle et privée. L'information que vous lui communiquez doit l'aider à mieux comprendre vos objectifs d'affaires. Il est l'expert en opérations bancaires, mais c'est *vous* l'expert en ce qui concerne votre entreprise, quelle qu'elle soit : culture maraîchère, atelier de poterie, studio de graphisme, etc. Votre banquier doit se pencher avec vous sur la question de votre entreprise afin de définir les meilleures stratégies pour sa réussite.

Au début de ma carrière dans le secteur bancaire, j'ai appris qu'il est vital de bien comprendre les attentes de mes clients d'affaires à mon égard et d'y répondre le mieux possible. Il y a longtemps, j'ai fait la connaissance de Clem Gerwing et de son fils Tim, propriétaires de Alberta Boot à Calgary. Cette entreprise fabrique des bottes de style western, qui se vendent un peu partout dans le monde.

L'une de nos premières conversations m'a fourni un de mes principes directeurs, que j'utilise encore aujourd'hui. Clem m'a tout de suite déclaré : «Vous savez, la Banque Royale n'est située qu'à deux pas de la Banque Scotia et je n'hésiterai pas à les franchir, si nécessaire.» J'ai compris son message : je devais mériter le respect et la clientèle de chaque entrepreneur qui faisait affaire avec moi et travailler dur pour les satisfaire. Clem me faisait ainsi savoir qu'il connaissait sa valeur comme client et l'importance de sa relation avec la banque.

Clem et Tim m'ont aussi parlé de leurs diverses expériences avec les banques. Certains banquiers leur avaient donné des conseils judicieux, alors que d'autres s'étaient montrés assez médiocres. Un de ces derniers, avec qui ils n'ont pas fait affaire longtemps d'ailleurs, leur avait fait un jour une suggestion assez bête : « C'est facile d'augmenter vos bénéfices nets, leur avait-il dit : vous n'avez qu'à vendre plus de bottes. » Des gens comme Clem et Tim savent reconnaître les banquiers qui peuvent vraiment épauler leur entreprise, ceux qui seront pour eux des alliés voulant leur réussite et sachant comment les aider à y arriver.

Une telle conversation m'a donc appris que le banquier doit comprendre les besoins et les attentes des propriétaires de petites entreprises et faire tout en son pouvoir pour y répondre. Tout comme Clem et Tim, vous devriez exiger le maximum de *votre* banquier.

Votre clientèle

La gestion d'une petite entreprise est un processus évolutif. Afin de tirer parti des meilleures occasions qui se présentent, vous adaptez votre entreprise et introduisez des changements. Que vous soyez dans votre première ou dixième année d'exploitation, vous devez vous concentrer sur votre clientèle. Parce qu'aucune entreprise, grande ou petite, ne peut exister sans clients.

Lorsque d'éventuels propriétaires de petites entreprises enquêtent pour savoir si leur projet d'affaire peut se tailler une place intéressante, ils appellent cette démarche une étude de marché. Il serait plus judicieux de la qualifier de « prise de contact avec votre clientèle », puis de « reprise de contact avec votre clientèle ». En effet, mieux vous comprendrez les désirs et les besoins de vos clients, et mieux vous serez aptes à les combler de façon efficace. Si vous connaissez bien votre clientèle, vous êtes assuré que vos nouveaux produits et services pourront se tailler une place sur le marché et que vous disposerez toujours d'une clientèle fidèle pour vos produits et services actuels. Cela vous permet de mettre l'accent sur la vente de ce que vos clients *veulent* vraiment et non pas sur ce que vous *pensez* qu'ils veulent.

Même si vous savez intuitivement qui sont vos clients (ce qui arrive souvent lors du démarrage d'une entreprise, puisque celle-ci résulte d'une occasion saisie ou d'un besoin à combler), il n'est pas inutile de vous livrer à une vérification de vos intuitions.

Examinons deux types différents de clients. Imaginons que vous venez d'inventer un jeu de table du calibre de *Quelques arpents de pièges*. Vous savez quelle est votre clientèle cible : les adultes âgés de 20 à 50 ans, assez instruits et disposant d'un bon revenu. Ce sont les utilisateurs finaux de votre produit et, donc, vos clients éventuels. Comment allez-vous leur faire connaître votre jeu ? Pour les joindre, vous devez vendre votre produit à des chaînes de grands magasins et à d'autres magasins de vente au détail qui offrent des jeux : ceux-ci sont aussi vos clients. Dans cet exemple, on retrouve deux types de clients ayant chacun leurs besoins et valeurs spécifiques : les premiers sont les consommateurs et les seconds, les détaillants (qui vendent aussi aux consommateurs). Il vous faut bien comprendre ces deux groupes.

Quand vous avez déterminé qui sont vos clients actuels et vos clients éventuels, vous devez élaborer une stratégie pour les joindre. Demandez-vous quelles seront les manières les plus efficaces de procéder. Proposerez-vous votre marchandise dans des points de vente ou offrirez-vous la possibilité de commander par la poste, le téléphone ou Internet ? Continuerez-vous d'exploiter le magasin que vous possédez déjà ; devriez-vous augmenter ou réduire sa taille ? Ce ne sont que quelques-unes des questions auxquelles vous devrez répondre avant de lancer votre entreprise, et aussi tout au long de son existence.

Comme tous les propriétaires d'entreprise, nouvelle ou déjà établie, il vous faut étudier votre clientèle avec un regard neuf et réexaminer le marketing de vos produits et services. Ainsi, vous pourrez déterminer si votre approche est toujours pertinente ou si des changements s'imposent.

Vos fournisseurs

Vos fournisseurs représentent également un facteur important de la réussite de votre petite entreprise. Après tout, le but de votre entreprise est de vendre quelque chose (un produit ou un service) à quelqu'un (client). Pour y arriver, vous devez choisir avec soin vos fournisseurs. Ce choix doit donc se fonder sur leur capacité de contribuer au succès de votre entreprise.

Pour les nouvelles entreprises... Quels seront vos fournisseurs pour le superbe jeu que vous venez d'inventer? Qui fabrique les pions? Et les tableaux? Et aussi les boîtiers? Qui les aura conçus? Ou encore, si vous manufacturez des jauges particulières utilisées dans l'industrie du pétrole, où trouverez-vous les matériaux nécessaires à leur fabrication? Si vous connaissez ce secteur d'activité, avez-vous déjà des contacts avec d'éventuels fournisseurs? Avez-vous choisi le meilleur?

Le secret d'une stratégie gagnante en affaires est de développer de bonnes relations avec vos fournisseurs. Assurez-vous également qu'ils ont les reins solides sur le plan financier et qu'ils sont capables de répondre à vos besoins. Enfin, ils doivent pouvoir respecter scrupuleusement les ententes sur les prix, la facturation, le service et la livraison.

Les propriétaires d'entreprises basées sur le savoir ou axées sur l'information ont moins de soucis au sujet de leurs fournisseurs que ceux des entreprises plus conventionnelles, dans le domaine manufacturier par exemple. Ces entreprises vendent des données, des études, des services ou une expertise qui ne dépendent pas d'un procédé de fabrication. Leurs principaux fournisseurs se limitent habituellement à leur fournisseur de services Internet, au commerce de fournitures de bureau de leur quartier et à d'autres spécialistes dans leur domaine. Ces entreprises sont très différentes de celles qui se consacrent à la fabrication ou à l'importation. Mais il s'agit tout de même de petites entreprises et elles ont besoin, elles aussi, de fournisseurs offrant qualité et fiabilité.

Pour les entreprises déjà établies... Vos fournisseurs sont-ils les meilleurs à long terme pour votre entreprise? Avez-vous adopté la meilleure stratégie pour gérer vos affaires? Existe-t-il de nouvelles options que vous devriez considérer?

Le maintien des relations avec vos fournisseurs a été très important jusqu'ici pour la réussite de votre entreprise. Ceux-ci vous ont probablement aidé à traverser des moments difficiles: par exemple, en exécutant rapidement une commande importante pour un nouveau client, ou encore, en se montrant accommodants en période de ralentissement de vos activités. Je ne vous recommande pas de rompre avec des fournisseurs qui vous satisfont, mais je vous incite quand même à réfléchir à l'évolution de votre entreprise pour déterminer si vos fournisseurs répondent adéquatement aux besoins *actuels* de votre entreprise.

Selon le secteur d'activité dans lequel vous œuvrez, vous voudrez peut-être examiner les possibilités de faire affaire avec de nouveaux fournisseurs, locaux ou étrangers. Internet est un outil merveilleux pour les entrepreneurs: ils peuvent y trouver rapidement et facilement, à toute heure du jour, une foule d'informations sur quantités de nouveaux fournisseurs.

Chapitre 2

Le démarrage de votre entreprise

Vous avez décidé de fonder votre propre entreprise afin de réaliser un de vos rêves et vous réussissez enfin à la faire démarrer en conjuguant votre idée et vos talents avec une possibilité d'affaires. Pour nombre de banquiers, une nouvelle entreprise est une société en exploitation depuis moins de deux ans. Mais cette définition peut s'entendre aussi dans un sens plus large. En effet, j'ai souvent entendu cette expression pour désigner une entreprise qui est en croissance depuis sa création, même si elle existe depuis plus de cinq ans!

CINQ CONSEILS POUR LE DÉMARRAGE D'UNE PETITE ENTREPRISE

1. Le dynamisme, la motivation et l'engagement sont des atouts importants, qui contribueront à la réussite de votre entreprise.
2. Une recherche sérieuse vous aide à bien connaître votre affaire. En ce qui concerne son entreprise, un propriétaire ne possède jamais trop d'informations.
3. Étudiez à fond votre marché.
4. Élaborez un plan d'affaires (voir le chapitre 4).
5. Rencontrez votre banquier. Même si vous n'avez pas besoin d'emprunter de l'argent tout de suite, votre relation avec lui peut vous apporter beaucoup.

L'achat d'une entreprise ou d'une franchise

La plupart des propriétaires de petites entreprises connaissent la nature de leur entreprise, c'est-à-dire les produits ou les services qu'elle vendra dès la phase de démarrage. Si vous n'êtes pas encore fixé sur l'entreprise que vous désirez développer ou si vous hésitez à créer une nouvelle entreprise à partir de zéro, vous pouvez considérer l'achat d'une entreprise existante ou d'une franchise. Une franchise est une entreprise dont les produits ou services offerts sont contrôlés par le franchiseur (Wendy's et Tim Hortons en sont des exemples). Les principes de fonctionnement de ce type d'entreprise sont déjà établis : contrats avec les fournisseurs, contrôle des stocks et marges bénéficiaires. Or, les deux voies présentent des avantages et des inconvénients :

- L'achat d'une entreprise existante peut réduire certains risques liés au démarrage d'une nouvelle entreprise : vous avez plus de chance d'obtenir assez vite un rendement sur le capital que vous avez investi, puisque les flux de revenus sont déjà établis. Mais vous devrez peut-être payer aussi le fonds commercial, concept qui englobe, entre autres, la réputation et l'achalandage, un coût inexistant dans le cas d'une nouvelle entreprise.
- Vous avez la possibilité d'étudier l'historique de l'entreprise que vous songez à acheter et de déterminer sa position actuelle dans le cycle normal de développement d'une entreprise : démarrage, croissance ou maturité. Avec l'aide de votre avocat ou notaire, vous devez également vérifier qu'aucune charge ne vient grever cette entreprise et examiner tous les contrats qui seront en vigueur lorsque vous l'acquerrez.
- Vous pouvez décider de n'acheter que les éléments d'actif de l'entreprise ou, dans le cas d'une société de capitaux, ses actions (ainsi que son passif).
- Il est possible que vous obteniez plus facilement du financement, grâce aux résultats déjà obtenus par l'entreprise ou le système de franchise.

- Les franchises s'adressent à des gens d'affaires qui préfèrent œuvrer dans un cadre très structuré, où les attentes sont clairement définies et où une assistance suivie est généralement offerte. Cependant, le franchisage ne permet pas vraiment à l'entrepreneur de faire preuve d'initiative. Cette restriction représente un inconvénient pour nombre d'éventuels propriétaires de petites entreprises qui désirent voler de leurs propres ailes. Toutefois, ce système donne l'occasion aux franchisés d'exploiter leur propre entreprise, avec le soutien et l'encadrement fournis par le franchiseur, lequel possède souvent une longue expérience. Un conseil cependant : étudiez avec soin le contrat de franchisage et les pratiques du franchiseur, afin de connaître les détails exacts de votre engagement.
- L'achat d'une franchise peut être un processus complexe. Certains franchiseurs ne permettent aucun changement à leur contrat. Il vous faut donc la collaboration d'un conseiller juridique qui a de l'expérience dans ce domaine – celui qui a rédigé votre testament (vous avez un testament n'est-ce pas?) ou votre acte d'hypothèque ne convient probablement pas dans ce cas-ci. Avant de vous engager, vous devez savoir exactement quels sont les droits et les responsabilités des deux parties (franchiseur et franchisé).
- Si vous considérez sérieusement l'achat d'une franchise, rendez visite à des franchisés de la chaîne qui vous intéresse et sollicitez leur opinion sur la valeur d'un tel investissement. La plupart vous répondront probablement assez franchement.
- Avant d'acheter une entreprise existante ou d'ouvrir une franchise, vous devez effectuer une étude préliminaire de l'entreprise ou du système de franchisage que vous avez choisi (pour la méthode d'évaluation d'une entreprise, voir le chapitre 11). Cela implique la formation d'une équipe semblable à celle qui est requise pour toute nouvelle petite entreprise, laquelle comprend au moins un conseiller juridique et un comptable (voir le chapitre 5). Si vous avez les moyens d'acheter une entreprise ou une franchise, vous devriez d'abord affecter quelques milliers de dollars à

consulter un comptable et un conseiller juridique ayant une expertise dans le domaine, surtout si vous voulez acquérir une franchise. Cet argent ne sera pas dépensé inutilement, même si vous décidiez en fin de compte de ne pas procéder à l'achat. En fait, cette démarche est susceptible de vous en faire épargner des centaines de fois plus, si elle vous permet de découvrir un aspect de l'entente qui ne vous convient pas.

- Passez une semaine sur les lieux de l'entreprise que vous désirez acheter, pour étudier son fonctionnement. Entre autres, vérifiez que les chiffres que l'on vous a fournis correspondent bien à la réalité. Parlez aussi aux clients: demandez-leur ce qui leur plaît ou leur déplaît et jugez de leur loyauté.

Au Canada, 69% des entreprises ont été créées à partir de zéro: elles n'ont pas été achetées d'autres propriétaires et ne sont pas non plus des franchises.

Le démarrage d'une entreprise

Lors du démarrage de votre entreprise, nombre d'aspects importants doivent requérir votre attention. Entre autres, la constitution d'une équipe d'experts qui vous donneront des conseils sur des questions particulières est si importante que j'y consacre tout un chapitre (voir le chapitre 5: «Une équipe gagnante»).

Cependant, concentrons-nous d'abord sur d'autres questions pratiques. Et, avant de prendre une décision finale au sujet de ces questions, consultez d'abord vos conseillers afin de vous assurer que vous n'avez oublié aucun facteur qui pourrait avoir un impact négatif sur votre nouvelle entreprise.

La taille

Un grand nombre d'entrepreneurs recherchent la liberté et l'indépendance que leur procure la propriété d'une petite entreprise.

L'embauche d'employés pour les aider est le cadet de leurs soucis. D'ailleurs, cette approche n'est pas mauvaise : le démarrage d'une entreprise est déjà assez stressant en soi qu'on n'a pas envie d'y ajouter tout de suite le stress lié à la responsabilité de la prise en charge du salaire d'autres personnes. Mais, pour être certain qu'il s'agit du bon choix, vous devez d'abord répondre à quelques questions. Pourquoi auriez-vous besoin d'employés ? Combien d'employés auriez-vous la capacité de diriger et de payer ? Vous faut-il des employés à temps plein, à temps partiel ou à forfait ?

Vous n'aurez peut-être pas les réponses à de telles questions avant d'avoir exploité votre entreprise pendant un certain temps, mais repensez-y régulièrement. Il se peut que certaines tâches vous pèsent lourdement : les ventes, la tenue de la comptabilité, le recouvrement des comptes clients, par exemple. Votre entreprise a-t-elle les moyens de payer une autre personne, à temps plein ou à temps partiel, pour accomplir ces tâches ? Si elle est en phase de croissance, de quel ordre serait l'augmentation de son chiffre d'affaires à la suite de l'embauche ? Par exemple, supposons que vous êtes un entrepreneur d'aménagement paysager qui n'arrive pas à répondre à la demande pour ses services et qui désire continuer d'accroître sa clientèle ; peut-être envisagez-vous d'engager quelqu'un pour vous aider. Alors demandez-vous ceci : puis-je augmenter suffisamment le nombre de mes clients pour rembourser les coûts d'un nouvel employé, ou encore, ce nouvel employé ne sera-t-il là que pour m'aider à servir mes clients actuels ?

Quatre-vingts pour cent de toutes les petites entreprises ont moins de cinq employés. Plus d'un million d'entreprises ont au moins un employé.

L'embauche d'un employé vous permettra d'améliorer vos conditions de vie, de prendre des vacances ou de passer plus de temps avec vos proches. Mais, avant d'embaucher, vous devrez effectuer une comparaison des coûts pour en déterminer les avantages et les inconvénients. Reprenons l'exemple de l'entreprise d'aménagement paysager. Le propriétaire doit additionner les coûts occasionnés par son nouvel employé : salaire annuel (p. ex. : 30 000 $), ébrancheur (125 $) et râteau (75 $). Le total est de 30 200 $; peut-il augmenter ses ventes d'autant ? Si c'est impossible, il aura un rendement non proportionnel. Toutefois, grâce à ce nouvel employé, le paysagiste peut disposer de plus de temps afin de rentabiliser davantage son entreprise (recouvrer les créances, trouver de nouveaux clients, obtenir d'autres commandes de sa clientèle actuelle). Il ne faut donc pas se contenter d'évaluer le strict point de vue financier. La décision d'engager un employé peut devenir une question de qualité de vie. Vous avez peut-être décidé que l'embauche d'un nouvel employé était essentielle pour équilibrer votre vie personnelle. Il est difficile de chiffrer la valeur de vos temps libres, mais vous pouvez vous livrer à certains calculs afin d'examiner la façon d'alléger votre tâche grâce à un employé.

Comment déterminer quel est le bon moment d'embaucher un nouvel employé ? Si, par exemple, votre tendre moitié a de la difficulté à vous reconnaître, il est peut-être temps d'y songer... Votre plan d'affaires peut vous aider à y voir clair (voir le chapitre 4). Revoyez vos objectifs, tout en réexaminant ce que vous voulez obtenir en tant qu'entrepreneur : indépendance, contrôle, meilleur équilibre entre vie privée et vie professionnelle, etc. Si vous songez à l'expansion de votre entreprise, déterminez la phase du cycle économique dans laquelle elle se trouve, demandez-vous à quel moment vous voulez prendre votre retraite. Vous devrez considérer tous ces aspects lorsque vous réfléchirez à la taille de votre entreprise et à sa croissance éventuelle. Car devenir employeur représente un grand pas qui modifie la dynamique de l'exploitation de votre entreprise (pour l'embauche de personnel et la croissance de votre entreprise, voir les chapitres 7 et 8).

> Le neuf à cinq ne correspond pas du tout à la réalité.
>
> – Perry Hulowski, Perry's Automotive, Prince-Albert (Saskatchewan)

Les locaux

Voici ce que vous devez vous demander concernant l'établissement de votre entreprise :

- Où installerez-vous votre entreprise ?
- L'exploiterez-vous depuis votre domicile ou travaillerez-vous dans un bureau ?
- Vous faut-il louer un local ou acheter un immeuble ?
- Quelle est l'importance de l'image pour vous et votre entreprise ? Et quelle image désirez-vous projeter ?
- Qui est votre clientèle et quelles sont ses attentes ?
- Vos clients vous visiteront-ils ou est-ce vous qui leur rendrez visite ?
- Quel est le coût d'un bureau ? (Il peut être élevé, comparativement au rendement que vous en retirerez.)

Considérons les trois options qui s'offrent à vous : exploiter votre entreprise de chez vous, dans des locaux que vous aurez loués ou dans des locaux que vous aurez achetés.

Exploiter votre entreprise à domicile. De nombreux propriétaires exploitent leurs petites entreprises de leur domicile. Ils choisissent cette solution afin de réduire leurs charges d'exploitation ou pour d'autres raisons : être avec leurs enfants, s'occuper en même temps d'un parent âgé ou pouvoir passer plus de temps chez eux. Pour transformer un coin de votre domicile en bureau, vous devrez peut-être entreprendre des rénovations. Mais si vous êtes recherchiste, architecte, musicien ou consultant, par exemple, vos besoins en termes de bureau seront minimaux : téléphone avec répondeur, télécopieur, ordinateur, classeur et bureau (plus quelques instruments de musique pour le musicien, bien sûr !). Certains propriétaires de petites entreprises n'assistent à des réunions que chez leurs clients, ou même, ne rencontrent jamais leurs clients et traitent toutes leurs affaires par l'intermédiaire du téléphone, du télécopieur, du courrier électronique et des messageries (par exemple, les traducteurs). En outre, quand votre bureau est tout près (au bout du couloir ou à l'étage supérieur), les problèmes de transport sont inexistants et il est facile d'adopter un horaire flexible. Par surcroît, l'Agence des douanes et du revenu du Canada (autrefois Revenu Canada) vous permet alors de déduire une partie des coûts reliés à votre domicile comme charge d'exploitation : intérêts hypothécaires, impôts fonciers et chauffage sont les trois exemples les plus courants.

Certaines municipalités ont des règlements interdisant certains types de commerce à domicile, il vous faut donc vous renseigner au préalable. Pensez aussi à vos voisins : si votre entreprise risque de susciter beaucoup d'allées et venues (à pied ou en voiture), il est peut-être préférable de l'installer ailleurs. Et même si vous exploitez votre entreprise de votre domicile, vous devrez adopter une approche d'affaires. Donc, vous devez tout de même élaborer un plan d'affaires (voir le chapitre 4), former une équipe de conseillers (voir le chapitre 5) et, peut-être, emprunter de l'argent (voir le chapitre 3).

Louer des locaux. Pour certaines entreprises, il est essentiel d'avoir une bonne visibilité : par exemple, un salon de coiffure ou une agence immobilière, qui comptent obtenir de nouveaux clients parmi les passants. Dans ce cas, il vaut mieux louer ou acheter des locaux pour votre entreprise. Un bail pouvant représenter l'une de vos plus grosses charges d'exploitation, il faut donc vous assurer de trouver des locaux convenables, car votre bail vous oblige à y rester pendant une période de temps prédéterminée. Avant de signer un bail commercial, demandez à votre conseiller juridique de l'étudier : quelques bons conseils de sa part vous éviteront d'éventuels embarras. En effet, la location de locaux commerciaux est différente de la location d'une résidence. Entre autres, c'est probablement à vous qu'il incombe de rénover ces locaux pour les adapter aux besoins de votre entreprise.

Acheter des locaux. L'achat de locaux, même si cela semble une bonne idée pour nombre de propriétaires de petites entreprises, peut s'avérer une option des plus risquées. Les faillites d'entreprises sont souvent le résultat de loyers ou de paiements hypothécaires élevés. Lorsque vous achetez des locaux, vous devez investir votre propre argent, ce qui diminue votre capital et vous laisse moins de fonds pour l'exploitation de votre entreprise. Votre argent est alors gelé dans les briques et le mortier, ce qui peut sérieusement compromettre la croissance de votre entreprise, sa flexibilité, et même sa capacité à profiter des occasions qui se manifestent. Par contre, vos frais à cet égard sont fixes et donc mieux contrôlables : vous n'êtes pas à la merci d'un propriétaire qui peut augmenter le loyer ou changer les conditions de location lors du renouvellement de votre bail. Vous pouvez même devenir propriétaire d'immeuble, en vous assurant toutefois d'abord que ce rôle vous convienne : la location de propriété peut devenir une autre petite entreprise.

Si vous pensez acheter vos locaux, réfléchissez à ce que l'avenir vous réserve. Qu'arrivera-t-il quand viendra le temps de vendre votre propriété ? Aura-t-elle conservé sa valeur ? Même si un terrain est un bien dont la disponibilité est parfois limitée, les prix ne sont pas toujours à la hausse dans le monde de l'immobilier. Le quartier où vous avez acheté ne demeurera peut-être pas toujours un emplacement aussi enviable. Dans vingt ans, il est possible qu'il soit devenu un désert du point de vue commercial. La collectivité qui semble aujourd'hui dynamique et susceptible de croître peut souffrir d'un ralentissement de l'économie ou d'un changement de vocation du quartier.

Lors du démarrage de votre entreprise, il est crucial de contrôler vos coûts et de réduire vos dépenses à long terme telles que l'achat d'une propriété. N'envisagez de tels investissements que si vos liquidités ne peuvent être mieux utilisées : par exemple, pour développer les secteurs de votre entreprise qui génèrent des revenus et des bénéfices. Vous devez aussi considérer la durée de vie projetée de votre entreprise : sera-t-elle aussi longue que la durée de l'hypothèque qui finance l'achat de cette propriété ?

La durée de vie moyenne d'une entreprise est de six ans.

La structuration de votre entreprise

La structuration de votre entreprise n'est pas votre première préoccupation dans les premiers temps très excitants de sa création, où vous préparez son démarrage. Mais dès que vous commencerez à l'exploiter, vous réaliserez toute son importance. La plupart des propriétaires de petites entreprises choisissent comme structure d'affaires l'entreprise individuelle, pour des raisons de facilité et de coût: sa création ne requiert que peu de temps et d'argent. Il est important toutefois de connaître aussi les autres types de structure (société de personnes et société de capitaux) ainsi que les avantages et les inconvénients des trois types. Si vous avez besoin de conseils pour vous aider à choisir le meilleur type de structure d'entreprise pour vous, discutez-en avec des propriétaires de petites entreprises, votre banquier ou votre conseiller juridique. Si vous souhaitez minimiser vos impôts, vous devez consulter votre comptable, qui vous renseignera sur les différences d'imposition entre chaque type d'entreprise et leur incidence sur votre entreprise. Si, comme la plupart des propriétaires de petites entreprises, votre but est de réduire le plus possible vos impôts, votre comptable sera votre meilleur ami. Une de mes collègues dont le mari possède un studio de graphisme affirme que, malgré tout le soin mis à la préparation de leurs états financiers et leurs déclarations de revenus, leur comptable leur trouve toujours au moins une autre façon d'épargner de l'argent!

Les entreprises non constituées en personnes morales – Entreprises individuelles

En tant que propriétaire unique, vous êtes simplement une personne qui dirige elle-même son entreprise. Vous prenez toutes les décisions reliées à l'entreprise et avez droit à tous les avantages découlant de son exploitation. Vous pouvez recevoir toutes les gratifications rattachées à la propriété d'entreprise, qu'elles soient d'ordre financier ou personnel. Vous assumez aussi l'entière responsabilité de tous les coûts, pertes et obligations de votre entreprise. De plus, il n'existe aucune distinction entre les biens du propriétaire et ceux de son entreprise. Vous possédez à titre personnel tout ce que possède votre entreprise, tout comme vous êtes personnellement responsable de ses dettes.

Vous utilisez d'abord vos propres ressources pour financer votre entreprise. Si des amis ou des membres de votre famille injectent aussi des fonds dans votre entreprise, cet argent constitue un prêt, tout comme dans le cas d'une somme obtenue d'une banque. Et ces prêteurs s'attendent à ce que vous les remboursiez un jour ou l'autre.

Afin de pouvoir exploiter votre entreprise, vous devez satisfaire toutes les exigences fédérales, provinciales et municipales telles que l'enregistrement de votre entreprise et l'achat du permis d'exploitation d'un commerce. En outre, vous devez connaître les règlements spécifiques à votre secteur d'activité et vous y conformer (p. ex.: la manutention de marchandises dangereuses). Enfin, si vous engagez du personnel, vous devez observer les dispositions de la législation sur l'emploi (voir les modalités pour devenir employeur au chapitre 7).

Les avantages des entreprises individuelles

- Le coût de structuration de votre entreprise est minime: vous n'avez pas à investir une part importante de votre mise de fonds initiale pour lancer votre entreprise. Il est simple de faire démarrer votre entreprise et de maintenir son exploitation après sa création.
- Les règlements auxquels vous avez à vous conformer ne sont pas aussi nombreux que ceux qui s'appliquent aux autres structures d'entreprise. Votre tenue de registres peut être réduite au minimum: vous n'en avez besoin que pour vous-même, Revenu Québec, l'Agence des douanes et du revenu du Canada (ADRC) et vos créanciers.
- Tous les bénéfices vous reviennent.

- Sur le plan des impôts, vous pouvez retirer certains avantages d'une entreprise individuelle : vous pouvez faire une réclamation pour toute perte commerciale lorsque vous déclarez un autre revenu que vous avez touché, ce qui peut réduire le montant de vos impôts.
- Vous exercez un contrôle total sur votre entreprise : vous prenez toutes les décisions !

Les inconvénients des entreprises individuelles

- En tant que propriétaire d'une entreprise individuelle, votre responsabilité n'est pas limitée : toute votre fortune personnelle garantit votre entreprise.
- Vous assumez l'entière responsabilité des dettes contractées par votre entreprise.
- Lorsque vous prenez des vacances ou êtes malade, il n'y a personne pour s'occuper de l'exploitation de votre entreprise (sauf si vous avez un employé).
- Vous ne pouvez vous prévaloir de certains programmes gouvernementaux.
- Les personnes travaillant à leur compte ne sont pas admissibles aux prestations d'assurance-emploi si leur entreprise ne fonctionne pas, sauf s'ils détenaient un emploi ailleurs pendant qu'ils exploitaient leur entreprise.
- Vous devez prendre toutes les décisions !

L'enregistrement des entreprises individuelles

Vous pouvez exploiter votre entreprise sous votre propre nom ou tout autre nom que vous choisirez. Mais s'il s'agit d'un nom différent du vôtre, il est préférable de faire les déclarations appropriées auprès de l'Inspecteur général des institutions financières (contre des frais minimes). Quel que soit votre choix, le revenu de votre entreprise et votre propre revenu sont considérés comme étant les mêmes et imposés en tant que revenus personnels. Les charges engagées par votre entreprise sont déductibles de vos revenus. Vous pouvez ouvrir un compte de banque pour votre entreprise, à son nom ou au vôtre, sans que celle-ci soit constituée en société. En fait, il est recommandé de séparer vos dépenses d'affaires de vos dépenses personnelles afin de simplifier votre tenue de comptabilité. Allouez-vous une rémunération prise dans les fonds de l'entreprise et déposez-les dans un compte personnel pour payer vos dépenses personnelles (logement, nourriture, vêtements, épargnes, etc.).

Pour obtenir des renseignements sur les règles d'enregistrement dans votre province, visitez le site Web

www.rcsec.org/alpe/busforms.html

et cliquez sur votre province. Au Québec, c'est l'Inspecteur général des institutions financières qui est responsable du Registre des entreprises.

Les sociétés de personnes

Depuis longtemps déjà, les gens savent qu'il est plus avantageux et efficace de mettre en commun leurs talents et leurs ressources en s'associant dans différentes entreprises. De nos jours, les sociétés de personnes continuent cette tradition et rassemblent des associés dans un cadre d'activités d'affaires, dont l'objectif est de réaliser des bénéfices. Il est à noter que ces sociétés ne constituent pas des entités juridiques distinctes des personnes qui les composent.

La législation sur les sociétés de personnes varie très peu d'une province à l'autre. Lorsque deux personnes ou plus s'associent pour faire des affaires dans le but de réaliser des bénéfices, il s'agit d'une société de personnes. Cela ne signifie pas que des bénéfices sont réalisés, mais plutôt que c'est l'objectif visé. C'est-à-dire qu'il y a :

- une mise de fonds initiale conjointe pour créer l'entreprise,
- une intention de partager les charges, les bénéfices ou les pertes,
- une participation commune à la gestion de l'entreprise.

Les contrats de société. Une société de personnes repose avant tout sur un contrat de société, verbal ou écrit, qui est élaboré par les associés. Ce contrat n'a pas d'incidence sur la relation entre les associés et les tierces personnes, mais il peut modifier de façon significative les droits et obligations des associés entre eux.

Il est important que les associés aient un contrat définissant clairement la nature exacte de leurs relations réciproques. Grâce à un tel document, les possibilités de conflits seront moindres. Par exemple, chaque associé peut prendre des décisions au nom de la société de personnes : entre autres, signer un contrat, contracter un nouvel emprunt ou embaucher du personnel. Votre contrat peut spécifier quand et comment chaque associé doit intervenir dans ces types de décisions. Votre contrat de société peut aussi préciser qu'un des associés assurera les pertes, en tout ou en partie, parce qu'il est plus en mesure de le faire.

À moins que vous ne connaissiez très bien les dispositions légales sur les sociétés de personnes, il vaut mieux demander à votre conseiller juridique de réviser le contrat final que vous avez rédigé avec vos associés.

Le contrat de société devrait :

- énoncer les fonctions de chaque associé dans les activités de l'entreprise (p. ex. : chacun peut signer seul des chèques au nom de la société de personnes, mais tous doivent signer pour un emprunt),
- définir le type de travail de chaque associé ou les compétences qu'il mettra à contribution,
- spécifier combien de temps chaque associé est prêt à consacrer à l'entreprise (au moins un minimum),
- indiquer le mode de partage des bénéfices,
- indiquer la répartition du capital,
- décrire les pouvoirs de chaque associé et toute limitation y afférente,
- inclure les méthodes de règlement des conflits,
- préciser les conditions de dissolution de la société.

La responsabilité de chaque associé n'est pas seulement limitée aux obligations contractuelles de chacun, mais aussi aux obligations et aux actions non contractuelles prises au nom de la société. Autrement dit, tous les associés sont responsables du comportement fautif des autres associés comme s'ils avaient eux-mêmes agi de cette façon. Cette responsabilité s'applique également aux obligations encourues par l'entreprise (c'est-à-dire par un des associés agissant au nom de l'entreprise) dans toutes ses activités, que vous ayez pris part ou non à la décision initiale.

Votre responsabilité en tant que propriétaire d'une entreprise individuelle est illimitée : toute votre fortune personnelle garantit votre entreprise. Toutefois, vous n'êtes responsable que de votre conduite et de vos décisions. Dans une société de personnes, la responsabilité des associés est illimitée et chacun de vous est responsable du comportement des autres. Si les actifs de l'entreprise ne sont pas suffisants pour acquitter toutes ses créances, les associés doivent les payer avec leurs fonds personnels dans la même proportion que se fait le partage des bénéfices.

Par ailleurs, une société de personnes est semblable à une entreprise individuelle du fait qu'elle n'est pas une entité distincte et ne paie donc pas d'impôts en tant qu'entité distincte, dans sa déclaration de revenus. Chaque propriétaire doit ainsi déclarer ses profits et déduire ses charges selon le pourcentage de sa propriété.

Comparaison entre les sociétés de personnes et les entreprises individuelles. La plupart des avantages et des inconvénients des entreprises individuelles s'appliquent aux sociétés de personnes, avec quelques différences. Voyons d'abord les bons côtés :

- vous disposez de sources supplémentaires de capital ;
- il y a plus de personnes pour effectuer le travail ;
- la gestion peut s'appuyer sur des connaissances plus étendues, car chaque associé peut mettre à profit ses compétences et son expertise ;
- la création d'une société de personnes peut coûter moins cher que la constitution en société de capitaux ;

- la tenue de comptabilité peut être réduite, de façon à satisfaire seulement les exigences des associés, de quelques organismes gouvernementaux (dont Revenu Québec et l'ADRC) et de vos créanciers ;
- les sociétés de personnes ont aussi droit à de nombreux avantages fiscaux dont se prévalent les sociétés de capitaux.

Et maintenant, quelques avertissements :

- quand au moins deux associés font partie de l'entreprise, il y a toujours au moins deux opinions sur presque chaque sujet. Si vous n'êtes pas bons négociateurs, il risque de se produire des conflits ;
- il peut être difficile de trouver un ou plusieurs associés ayant le même enthousiasme que vous et des motivations et intérêts similaires. Beaucoup de sociétés de personnes sont dissoutes parce que l'un des associés se plaint de faire tout le travail mais de ne toucher que la moitié des bénéfices.
- pour reprendre un point déjà abordé, un associé peut engager la responsabilité des autres sans leur approbation. Vous devez avoir des associés en qui vous pouvez avoir une confiance absolue, sinon vous risquez de vous trouver éventuellement dans une situation délicate.

Les sociétés en commandite. Ces sociétés sont une autre forme de sociétés de personnes. Elles sont constituées par contrat entre deux catégories d'associés : d'une part, un ou plusieurs associés appelés commandités, chargés de la gestion et indéfiniment et solidairement responsables de toutes les dettes et obligations, et, d'autre part, un ou plusieurs associés appelés commanditaires, qui fournissent de l'argent ou des biens et dont la responsabilité à l'égard des dettes est limitée au montant de leurs mises de fonds. Les commandités touchent habituellement une plus grande part des bénéfices. Les commanditaires ne peuvent gérer la société.

Pour pouvoir inclure des commanditaires, une société doit se conformer à la législation en vigueur. Si les commanditaires dérogent aux dispositions de la législation de quelque manière que ce soit (par exemple, en participant à la gestion ou aux décisions de l'entreprise), ils risquent généralement d'être considérés comme des commandités, avec toutes les conséquences de responsabilité liées à cette désignation.

L'expression «associé passif» désigne généralement un associé commanditaire, c'est-à-dire un individu qui investit de l'argent, mais qui ne peut pas participer à la prise de décision.

Le seul avantage des sociétés en commandite est de permettre aux commanditaires d'y investir de l'argent tout en évitant la responsabilité générale illimitée qu'assument les associés commandités. Si le principe d'une société en commandite vous intéresse, votre conseiller juridique peut vous aider à en rédiger ou en réviser le contrat de société.

Les sociétés de capitaux

Le concept de la société de capitaux (ou société par actions ou compagnie) juridiquement constituée a été créé pour les grandes entreprises qui avaient besoin d'obtenir des mises de fonds importantes, grâce à la participation d'un grand nombre d'investisseurs. Pour ces grandes sociétés, il est essentiel d'obtenir la participation financière de nombreux investisseurs qui n'ont aucun rôle actif dans l'entreprise. La société de capitaux leur permet d'atteindre cet objectif.

L'aspect le plus important des sociétés de capitaux est qu'elles sont des entités juridiques distinctes des personnes qui en possèdent les actions. Les actions représentent la participation des personnes dans la société et peuvent être achetées et vendues sans que cela affecte l'exploitation en cours et le processus décisionnel de l'entreprise. Cette structure est donc plus flexible pour s'adapter aux exigences d'affaires et plus efficace lorsque de nouveaux capitaux sont recherchés.

En tant que société de capitaux, votre entreprise est une entité juridique et a un ensemble particulier de droits et de responsabilités.

L'entreprise est responsable de tout ce qu'elle possède et de tout ce qu'elle fait. En outre, la constitution en société de capitaux impose des exigences de comptabilité plus rigoureuses.

Les actionnaires sont les propriétaires de l'entreprise. Si vous êtes le seul actionnaire, vous êtes aussi le seul propriétaire. En tant qu'actionnaire, vous n'êtes pas personnellement responsable des dettes de la société: vos obligations se limitent aux actifs de la société (à moins que vous n'ayez donné votre garantie personnelle). Vous pouvez choisir de ne pas distribuer les bénéfices afin de les réinvestir dans la société, ou encore, de les distribuer en dividendes aux actionnaires, en proportion des actions que ceux-ci détiennent (compte tenu des droits rattachés à chaque type d'actions).

Vous pouvez faire constituer votre entreprise en société de capitaux par un avocat qui créera pour vous une société à numéro ou vous pouvez procéder vous-même à son enregistrement et à sa constitution. Nombreux sont les débrouillards qui achètent une trousse d'information dans une librairie et se chargent eux-mêmes de cette tâche. Si vous choisissez une structure d'affaires assez simple (avec un ou deux actionnaires), cette façon de faire peut être excellente. Mais si vous planifiez une croissance intensive ou choisissez une structure d'affaires plus complexe, il vaut peut-être mieux faire appel aux services de votre avocat.

C'est le bon moment de choisir l'avocat qui vous épaulera dans votre entreprise. Votre avocat ou votre comptable peuvent vous aider à choisir la structure d'entreprise appropriée, afin de réduire à la fois vos impôts personnels et ceux de votre entreprise. La plupart des avocats peuvent s'occuper de tout: enregistrement de votre entreprise et de son nom, obtention des numéros de compte TPS et d'identification en ce qui a trait à la TVQ (voir plus loin les «Autres notes sur le démarrage»).

L'enregistrement des sociétés de capitaux. L'enregistrement de votre entreprise comme société de capitaux implique la détermination des éléments suivants:

- le nom de la compagnie,
- le capital-actions (la valeur totale des actions pouvant être émises),
- dans certaines provinces, les buts de la constitution en société de capitaux,
- les modalités d'émission et de transfert des actions,
- le calendrier des réunions du conseil d'administration et des actionnaires de même que la procédure de vote,
- les règles sur les emprunts ainsi que les pouvoirs des administrateurs et des autres membres de la direction,
- les règles concernant la comptabilité de la compagnie, la façon de distribuer les dividendes et de contacter les actionnaires,
- l'identité des premiers actionnaires.

En déposant ses statuts constitutifs et en acquittant les frais reliés, votre compagnie reçoit un certificat de constitution. Ce n'est qu'au moment où vous obtenez la constitution juridique de votre société de capitaux que vous avez le droit d'ajouter à son nom les mots «limitée» ou «incorporée», ou leur abréviation (ltée, inc.). Ces suffixes doivent figurer sur tous les documents juridiques de votre compagnie et sur sa papeterie.

Les avantages des sociétés de capitaux

- Votre société de capitaux étant une entité juridique, son existence se poursuit au-delà de la participation de chacun de ses actionnaires. S'il est important pour vous de conserver le contrôle de votre entreprise, assurez-vous d'être le seul actionnaire ou de détenir au moins 51 % des actions.
- Les actionnaires ont une responsabilité limitée, c'est-à-dire limitée au montant de leur investissement. Ils ne sont pas personnellement responsables des dettes et des autres obligations de la compagnie. Si le total de l'actif de la compagnie n'est pas suffisant pour régler ses obligations, le créancier qui réclame un paiement ne peut pas s'adresser à un actionnaire pour combler la diffé-

rence, sauf si celui-ci a donné un cautionnement pour garantir cette dette.

- Vous avez plus d'options pour retirer de l'argent de votre entreprise. Votre comptable vous aidera à déterminer si votre entreprise doit vous payer un salaire, une prime, le remboursement de vos prêts d'actionnaire ou des dividendes : chaque option a des incidences différentes sur le calcul de vos impôts personnels.
- Il peut aussi exister d'autres avantages fiscaux. À tout le moins, les actionnaires peuvent laisser leurs bénéfices dans la compagnie comme moyens de placement afin d'en reporter l'imposition à une date ultérieure. Cependant, il est très important de demander l'avis de votre avocat, comptable ou banquier sur ces questions afin de choisir la planification fiscale à long terme la plus appropriée.
- Puisque votre société de capitaux est une entité juridique distincte, elle n'est pas soumise aux faiblesses humaines : elle ne peut pas « mourir ». Votre compagnie ne peut donc cesser d'exister, à moins que vous n'entrepreniez une démarche pour mettre un terme à son existence. Quand un associé meurt, la société de personnes prend fin ; lorsqu'un propriétaire d'entreprise individuelle décède, son entreprise disparaît aussi, en général. La mort d'un actionnaire d'une société de capitaux (même s'il était le seul producteur de revenus de l'entreprise ou qu'il détenait la totalité des actions) ne compromet pas l'existence de l'entreprise, mais seulement son exploitation. Si le propriétaire unique de la compagnie ne participe pas activement à son exploitation, l'entreprise peut continuer de fonctionner indéfiniment sans son actionnaire. Les actions sont considérées tout simplement comme un des actifs faisant partie du patrimoine de l'actionnaire décédé.
- La propriété de l'entreprise peut être distincte de sa gestion, contrairement à une entreprise individuelle, qui est contrôlée par son propriétaire, et à une société de personnes, où chaque associé a un rôle dans la prise de décisions. Les actionnaires n'ont pas à consacrer du temps et des efforts à la gestion de la compagnie, mais s'ils ne sont pas satisfaits des résultats, ils peuvent

voter un changement de la direction. Et si vous détenez la totalité des actions, votre vote a une importance considérable !

Les inconvénients des sociétés de capitaux

- Il existe une réglementation claire à laquelle doivent se soumettre les sociétés de capitaux. De plus, une comptabilité détaillée est requise. Vous devez donc consacrer beaucoup de temps à vous assurer que votre entreprise se conforme à toutes ces exigences.
- Parmi les trois types de structure d'entreprise, c'est la plus onéreuse à créer et à exploiter.
- Les dividendes sont imposés deux fois : d'abord, à la société (les dividendes sont prélevés des bénéfices après impôt de l'entreprise) et ensuite, aux actionnaires (même si vous êtes le seul actionnaire). Cela se justifie par le fait que vous profitez alors personnellement des bénéfices de votre entreprise. En général, les dividendes sont soumis à un taux d'imposition moins élevé et peuvent constituer un excellent outil de planification financière personnelle.
- Dans certains cas, la structure légale de la société ne limite pas votre responsabilité personnelle. Ainsi, la plupart des institutions financières vous demanderont une garantie personnelle pour les prêts à votre entreprise : vous vous engagez alors à rembourser personnellement cette dette si l'entreprise ne le peut pas.
- Les administrateurs de l'entreprise peuvent être tenus responsables des activités de l'entreprise.

Les propriétaires de petites entreprises doivent bien réfléchir avant de décider de constituer une société de capitaux. Pourtant, la tendance de choisir une telle structure légale continue de s'accentuer, surtout à cause des avantages fiscaux, des effets de la globalisation et de l'attrait de la responsabilité limitée. Néanmoins, grâce à la flexibilité offerte par leurs structures respectives, de nombreuses petites entreprises individuelles et sociétés de personnes sont prospères, si bien que près de la moitié de toutes les entreprises choisissent l'une de ces deux structures.

Certaines personnes (médecins, dentistes, avocats, comptables, etc.) ne peuvent constituer une société de capitaux ou n'en retireraient aucun avantage. Si vous exercez l'une de ces professions, demandez à votre conseiller juridique des précisions sur les règlements en vigueur dans votre province.

Autres notes sur le démarrage d'une entreprise

Les sujets suivants concernent tous les entrepreneurs, quelle que soit leur expérience en affaires. Vous voudrez peut-être relire certains chapitres du présent ouvrage pour vous rappeler vos réflexions lors du démarrage de votre entreprise, votre processus décisionnel, votre engagement et votre détermination d'alors. L'art de gérer une petite entreprise consiste autant à se tourner vers l'avenir qu'à se remémorer le passé de temps à autre.

Si vous prévoyez avoir des revenus annuels de plus de 30 000$, vous devez percevoir les taxes de vente (TPS et TVQ). Si vos revenus ne dépassent pas 30 000$, vous pouvez quand même percevoir ces taxes; certains propriétaires de petites entreprises décident de le faire afin de se donner de la crédibilité et de pouvoir obtenir le remboursement de la TPS et de la TVQ qu'ils paient sur les produits et services pour leur entreprise. Pour obtenir un numéro d'entreprise au Québec, il vous faut communiquer avec le gouvernement (www.revenu.gouv.qc.ca/fr/entreprise/demarrage/demarches/no_entreprise.asp). Vous devez ensuite procéder à l'inscription de votre entreprise aux fichiers de la TPS et de la TVQ (www.revenu.gouv.qc.ca/fr/entreprise/demarrage/inscription/tps-tvq.asp). Vous recevrez par la suite du gouvernement des formulaires que vous devrez remplir pour effectuer vos paiements trimestriels. Les taxes de vente que vous percevez ne vous appartiennent pas, et il est recommandé de les déposer dans un compte de banque séparé afin d'être en mesure de payer ce qui est dû aux gouvernements après que vous avez calculé vos déductions.

Si vous décidez d'accepter des paiements par cartes de crédit, vous devez vous ouvrir un compte auprès des sociétés émettrices de cartes de crédit (Visa, MasterCard, American Express) qui vous intéressent.

Lorsque votre client souhaite payer par carte de crédit ou de débit, le montant de votre vente peut être déposé directement dans votre compte de banque. Certaines institutions en déduisent immédiatement leurs frais, alors que d'autres les perçoivent à la fin du mois en prenant la somme directement dans votre compte. Si ces frais ne sont perçus que mensuellement, il est à noter que vous disposez de cet argent pendant tout le mois et vos opérations quotidiennes de rapprochement sont facilitées. Chaque mois, vous recevez un relevé des activités de votre compte de commerçant, qui détaille toutes les transactions effectuées. Habituellement, les frais et la location de matériel sont aussi déduits de votre compte.

La banque exige des frais pour les activités suivantes :

- l'ouverture des comptes de commerçant,
- les transactions, c'est-à-dire un pourcentage sur chaque vente (les ventes par Internet, par la poste ou au téléphone peuvent entraîner des frais plus élevés, parce que le client ne signe pas le bordereau de la transaction),
- la location de matériel (si votre compte de commerçant n'est utilisé que pour des ventes en ligne, assurez-vous qu'on ne vous facture pas ces frais puisque vous n'utilisez pas le lecteur de cartes),
- les rétrofacturations (c'est-à-dire lorsqu'un client conteste une transaction et que son compte est crédité de la somme en question, laquelle est déduite du prochain règlement au commerçant).

Vous devrez peut-être déposer une certaine somme à titre de dépôt de garantie après l'approbation de votre demande ; une entreprise qui ne fait que du commerce en ligne peut être obligée de fournir un dépôt de garantie plus important. Discutez de tout cela avec un banquier compétent afin d'élaborer le meilleur plan pour votre entreprise et de minimiser vos coûts.

CHAPITRE 3

Les sources de financement

Quelle que soit la taille de votre entreprise, vous aurez besoin de fonds pour la faire démarrer, et ensuite, pour l'exploiter. Il vous faudra des fournitures de bureau et peut-être des meubles. Vous devrez également payer des frais pour le marketing, et sans doute aussi investir dans des équipements appropriés à vos besoins : par exemple, pour un potier, un tour et un four, ou pour une entreprise de transport, un chariot élévateur, des diables et des couvertures protectrices. Par la suite, des fonds pourraient s'avérer nécessaires pour financer l'expansion de votre entreprise ou pour résoudre des problèmes de liquidités quand vos clients tardent à vous payer. Il est possible que l'obtention d'argent pour soutenir financièrement votre entreprise constitue la pierre angulaire de sa réussite. Nous allons donc étudier la gamme des possibilités qui vous sont offertes : depuis les prêts conventionnels jusqu'aux stratégies de gestion permettant de libérer plus de fonds.

Vous, le propriétaire

Que votre entreprise soit à ses débuts ou en exploitation depuis longtemps, vous êtes toujours sa principale source de fonds. Lorsque vous faites démarrer votre entreprise, vous devez investir certains de vos actifs : argent, équipement, résidence, placements. À mesure que votre entreprise se développe et réussit, vous devrez régulièrement décider si vous allez y investir des capitaux additionnels (espèces ou ressources) pour l'aider à prospérer. Il faut donc vous attendre à faire certains investissements à court et à long termes dans votre entreprise.

Les prêts

La plupart des gens qui possèdent une petite entreprise ou qui sont sur le point d'en posséder une connaissent la démarche à suivre pour obtenir un prêt. Quiconque ayant déjà acheté une voiture a probablement financé son achat grâce à un prêt d'une banque, d'une fiducie, d'une caisse populaire ou d'une société de financement (p. ex.: GMAC). Ce sont les mêmes institutions que vous devriez considérer lorsque vous désirez emprunter de l'argent pour votre entreprise.

Les marges de crédit d'exploitation

Vous voudrez peut-être aussi obtenir une marge de crédit, aussi appelée marge de crédit d'exploitation, qui vous fournit des fonds selon vos besoins. Les marges de crédit sont normalement utilisées pour les charges d'exploitation (salaire, loyer, stocks), le temps de recevoir l'argent provenant de vos comptes clients. La procédure pour demander une marge de crédit est la même que pour les demandes de prêts. Les marges de crédit sont établies avec un plafond prédéterminé et vous payez des frais d'intérêts chaque mois. Attendez-vous à devoir acquitter de légers frais de gestion mensuels.

La marge de crédit fonctionne de concert avec votre compte d'affaires: quand vous faites un dépôt, celui-ci s'applique d'abord à tout montant prélevé dans la marge de crédit, et lorsque votre compte a un découvert, la marge de crédit rembourse ce découvert. L'avantage d'une marge de crédit est que vous ne payez que lorsque vous l'utilisez, et ces paiements sont établis selon le montant dû (plus il est élevé et plus vous payez d'intérêts chaque mois). Le taux d'intérêt est habituellement variable, car il est en rapport avec le taux d'intérêt préférentiel. Le taux d'intérêt qui sera établi dépend des garanties données pour votre marge de crédit.

Faites très tôt une demande d'une marge de crédit pour votre entreprise, afin de pouvoir en disposer quand vous en aurez besoin. Il est de plus avisé d'établir votre cote de crédit dès que possible. Or, un certain temps est nécessaire pour obtenir une marge de crédit : en effet, il vous faudra près d'une semaine pour rassembler l'information requise (p. ex. : vos dernières déclarations de revenus), remplir votre demande et mettre au point les documents. La plupart des banques communiquent leur décision dans un délai de deux ou trois jours. Alors, pour vous éviter des tracas, il vaut mieux entreprendre les démarches sans tarder. La mise en place d'une bonne marge de crédit, disponible au moment opportun, fait partie d'une planification efficace. Cette décision peut paver la voie de la réussite pour votre entreprise.

Les prêts à terme

Les prêts à terme sont souvent obtenus pour l'achat d'équipement. L'avantage qu'ils procurent est que vous pouvez faire correspondre les remboursements d'un tel prêt aux revenus engendrés par l'équipement. Par exemple, si vous achetez un tour à bois industriel de 30 000$ pour fabriquer des meubles, ce tour contribuera à la production de votre entreprise pendant trois ou quatre ans. Le tour commence à faire gagner de l'argent à votre entreprise dès qu'il est utilisé pour la fabrication de meubles, mais il ne générera probablement pas assez de revenus dans les premiers mois de son utilisation pour couvrir la totalité de son coût. Vous devez donc vous assurer du synchronisme entre les dates de paiement et le temps où l'équipement génère des revenus. De plus, l'échéancier des paiements doit correspondre à la durée de vie espérée de l'équipement (il est préférable que votre prêt soit complètement remboursé lorsque l'équipement sera usé). Le remboursement des prêts à terme s'effectue habituellement au moyen de paiements mensuels. Les prêts à terme sont en outre utilisés pour financer des améliorations locatives (p. ex. : la rénovation de locaux d'affaires), des injections de fonds dans une entreprise ou des achats de biens immobiliers.

Il est probable que l'expression «garantie» surgisse dans vos discussions avec votre banquier. Si vous avez un bien que vous pouvez affecter en garantie du prêt, vous obtiendrez probablement un taux d'intérêt plus bas que pour un prêt non garanti, car le risque pris par la banque est alors compensé par le risque que vous prenez en utilisant une propriété ou d'autres biens pour garantir votre emprunt. Vous pouvez également obtenir des prêts non garantis si vous êtes un bon client de la banque et que votre dossier de crédit est satisfaisant, avec d'excellents antécédents en ce qui concerne le remboursement de vos dettes.

Une autre source de fonds pour les propriétaires d'entreprise en démarrage, en expansion ou en projet d'amélioration des affaires est un programme mis en place au titre de la Loi sur le financement des petites entreprises du Canada (LFPEC). Dans le cadre de ce programme, le gouvernement fédéral compense en partie toute perte que pourrait enregistrer un prêteur. Cela signifie que les propriétaires n'ont pas à fournir d'actifs personnels comme garanties du financement de leur entreprise. Toutefois, la banque peut vous demander une garantie pour une portion du prêt. Le programme est accessible aux petites entreprises canadiennes dont les revenus annuels sont inférieurs à cinq millions de dollars. Les prêts LFPEC peuvent servir à financer :

- l'achat ou l'amélioration de biens immobiliers ou d'immeubles par destination (p. ex. : gros équipements),
- des améliorations locatives ou des améliorations de biens en location, et
- l'achat ou l'amélioration d'équipement neuf ou usagé.

Tous les achats financés avec l'aide de ce programme doivent être pour l'entreprise.

Le montant maximum alloué pour un prêt LFPEC est de 250 000$, et celui-ci peut financer jusqu'à 90% du coût du bien. Le prêteur paie au gouvernement des frais calculés d'après le montant de chaque prêt. Ce coût est normalement reporté sur l'entreprise emprunteuse et peut être ajouté au prêt. Habituellement, les frais représentent 2% du montant du prêt. Les taux d'intérêt demandés pour ce type de prêt sont en général un peu plus élevés que ceux que vous paieriez pour un prêt bancaire, mais ils sont quand même raisonnables. Le gouvernement a en effet fixé un plafond sur les taux afin que les intérêts exigés ne soient pas excessifs. Vous pouvez faire une demande de prêt LFPEC par l'intermédiaire d'une banque.

La manière la plus conventionnelle de financer votre entreprise est de faire affaire avec votre banque. Après tout, vous avez déjà un compte de banque, dont vous vous servez pour payer vos factures personnelles, déposer vos chèques, obtenir une lettre de crédit ou obtenir une approbation pour une carte de crédit. Vos relations avec votre banque seront traitées plus en détail un peu plus loin dans ce chapitre; parlons d'abord d'autres instruments qui peuvent fournir des fonds à votre entreprise.

Si vous êtes travailleur autonome et désirez demander un prêt ou une marge de crédit, apportez au banquier chargé des petites entreprises vos dernières déclarations de revenus pour lui montrer le profil de vos revenus depuis quelques années.

Les hypothèques de deuxième rang

Votre résidence ou toute autre propriété immobilière qui vous appartient peut constituer une source de fonds pour votre entreprise si vous la grevez d'une hypothèque de deuxième rang. En effet, il s'agit d'une des façons les moins chères d'emprunter de l'argent pour votre entreprise. En outre, si une propriété résidentielle est utilisée comme garantie, il est probable que la banque vous offrira son meilleur taux d'intérêt pour des prêts aux petites entreprises. C'est un bon compromis pour beaucoup de propriétaires de petites entreprises, surtout du point de vue du rendement de leur entreprise : chaque dollar supplémentaire d'intérêts en gruge les bénéfices, alors, il vaut toujours mieux obtenir le taux d'intérêt le plus bas possible.

Le montant que vous avez le droit d'emprunter avec une hypothèque de deuxième rang dépend de la valeur nette de la propriété que vous offrez en garantie, c'est-à-dire la valeur réelle de la propriété moins le solde impayé de votre prêt hypothécaire. Toute valeur nette de votre résidence peut être utilisée pour votre entreprise. Vous obtenez ainsi un meilleur taux d'intérêt et une période de remboursement beaucoup plus longue. Cette démarche aura sans doute un impact bénéfique sur les liquidités de votre entreprise : vous pourrez minimiser le montant des remboursements de prêt chaque mois et maximiser les possibilités de développer et de maintenir les activités de votre entreprise. Un détail important à ne pas oublier, toutefois : si vous prenez du retard dans vos remboursements, vous risquez de perdre votre propriété.

Discutez avec votre banquier des autres instruments conçus sur le même principe. La Banque Scotia offre un programme appelé Crédit intégré Scotia, qui vous permet de déterminer une limite totale d'emprunt basée sur la valeur de votre propriété. En tant que propriétaire de petite entreprise, vous pouvez utiliser ce programme pour vos affaires ou vos besoins personnels, à des taux d'intérêt très avantageux. Dans ce cas également, votre propriété sert de garantie. À mesure que vous remboursez le solde, la limite totale de votre emprunt reste la même et vous pouvez ensuite, au besoin, emprunter de nouvelles sommes jusqu'à concurrence du plafond établi.

Le crédit-bail

Une autre façon de disposer de sommes d'argent consiste à éviter de geler vos fonds dans des achats importants. En utilisant le crédit-bail pour financer vos achats (équipement, voitures, locaux pour bureau ou usine, etc.), vous ne dépensez pas immédiatement de grosses sommes et conservez ainsi une meilleure marge de manœuvre pour payer notamment les fournitures, les salaires et les frais de marketing, sans oublier vos dépenses personnelles (votre hypothèque, entre autres). Voici quelques-uns des autres avantages du crédit-bail :

- Vous n'avez pas à payer d'avance les taxes de vente, car les paiements de la TPS et de la TVQ sont inclus dans vos mensualités, alors que dans le cas d'un achat, vous devez payer le total des taxes immédiatement ; ce montant considérable vous sera plus profitable dans la gestion de votre entreprise.
- Vous préservez votre marge de crédit d'exploitation. Les liquidités et les marges de crédit sont précieuses pour répondre aux besoins journaliers de votre entreprise. Il vaut donc mieux ne pas les utiliser pour l'achat d'immobilisations ou comme versement initial pour un prêt servant à acheter un équipement.
- Vous bénéficiez d'avantages fiscaux, car les paiements de crédit-bail sont déductibles à titre de charges d'exploitation.
- Vous payez des mensualités à mesure que vos équipements vous font gagner de l'argent, ce qui aide à conserver les bénéfices de votre entreprise en synchronisant vos recettes et vos charges, comme dans le cas d'un prêt à terme. Le crédit-bail est généralement étalé sur une plus longue période qu'un prêt, et les paiements mensuels tendent à être plus bas.
- Le crédit-bail est une excellente façon d'obtenir des fonds pour votre entreprise. Vous pouvez même acheter un équipement dont se sert votre entreprise maintenant et la lui louer, ce qu'on appelle une cession-bail. Cette transaction vous fournit ainsi une injection immédiate d'argent, que vous rembourserez par des paiements mensuels. Les sociétés de crédit-bail connaissent bien cette opération et pourront en discuter avec vous si vous le souhaitez.

Prenons un exemple typique de crédit-bail : vous achetez un équipement de 20 000 $ qui devrait durer quatre ans et vous rapporter 10 000 $ de recettes par année.

Coût	20 000$	
Recettes générées	40 000$	en quatre ans
Gain net pour vous	20 000$	

Vous prenez un crédit-bail d'une période de 48 mois, avec des mensualités de 535,20$.

535,20$ X 12 paiements = 6 420$ de charges annuelles à cet égard

	1re année	2e année	3e année	4e année
Recettes	10000$	10000$	10000$	10000$
Charges (crédit-bail)	6420$	6420$	6420$	6420$
Revenu brut	3580$	3580$	3580$	3580$

Si vous achetez cet équipement au comptant, vous devez payer tout de suite 20 000$. Vos recettes annuelles restent les mêmes, mais vous n'avez pas la possibilité de déduire 6 420$ de vos revenus. Vous déclarez donc un revenu brut de 10 000$, sur lequel votre entreprise doit payer des impôts.

Votre comptable peut vous aider à choisir la meilleure option pour vous: l'achat ou le crédit-bail.

Les cartes de crédit

Plus de 70% des propriétaires de petites entreprises utilisent des cartes de crédit pour financer en tout ou en partie les besoins d'argent de leur entreprise. Ils s'en servent comme sources d'argent temporaire et à court terme (au lieu de leur marge de crédit) pour acheter de petits équipements et pour couvrir des charges d'exploitation.

L'utilisation d'une carte de crédit pour régler des achats effectués au nom de votre entreprise vous donne une crédibilité instantanée: une institution financière a déjà approuvé votre demande de carte de crédit et vous a fixé une limite de crédit. Quand vous payez par carte de crédit, les fournisseurs avec qui vous faites affaire sont sûrs d'être payés. Se servir d'une carte de crédit est donc une façon simple et facile de s'établir en affaires. En outre, la majorité des émetteurs de cartes allouent une période de grâce de 21 à 26 jours avant de commencer à calculer des intérêts. Il faut toutefois garder en tête les avertissements d'usage concernant les cartes de crédit: payez tout ce que vous pouvez chaque mois (idéalement, la totalité du solde) et ne soyez pas tenté de dépenser jusqu'à votre limite, du seul fait que vous le pouvez.

Parce que les banques reconnaissent l'importance des petites entreprises, certaines proposent maintenant des cartes de crédit d'entreprise. Celles-ci vous permettent d'emprunter au même taux d'intérêt que celui de votre marge de crédit (qui variait, au moment d'écrire ces lignes, du taux préférentiel jusqu'au taux préférentiel plus 4,5%) et profiter en plus de la période de grâce sans intérêts. Vous bénéficiez aussi d'avoir votre nom et celui de votre entreprise gravés sur la carte. Enfin, l'une de ses caractéristiques peut vous faire gagner du temps quand vous êtes très occupé: vous n'avez pas à transférer le solde à votre marge de crédit pour épargner de l'argent, car le taux d'intérêt de la carte de crédit est souvent le même. Demandez à votre banquier si ce type de carte est offert par son institution.

Conservez toutes vos factures de cartes de crédit pour la préparation de vos déclarations de revenus, afin de vous souvenir des dépenses que vous avez faites. Vous serez peut-être en mesure de déduire la proportion des frais d'intérêts qui correspond aux dépenses reliées à votre entreprise.

Les pensions

Certaines personnes investissent le montant forfaitaire de pension qui leur est versé par un ancien employeur, dans le démarrage de leur entreprise. Nombre de mes connaissances ont quitté leur emploi pour démarrer leur propre entreprise et d'autres espèrent recevoir une offre d'indemnité de départ à la retraite pour le faire. La planification de leur future entreprise peut ainsi s'étaler sur des années, puisqu'ils attendent le bon moment pour agir. Beaucoup d'entrepreneurs prospères ayant créé avec succès leur propre entreprise possèdent une expérience de travail dans de grandes compagnies. Il est faux de croire qu'ils sont devenus entrepreneurs parce qu'ils ont été congédiés, ne retrouvaient pas un bon emploi ou n'avaient d'autre choix. Très peu d'entre eux choisissent de devenir propriétaire de leur propre entreprise en dernier recours.

Il est possible, mais pas toujours recommandable, de retirer de l'argent de votre régime enregistré d'épargne-retraite (REER). Pour les salariés canadiens, les REER sont un régime d'épargne-retraite à long terme. Dans le cas des propriétaires de petites entreprises, les REER peuvent représenter un moyen de réduire leurs impôts en reportant l'imposition jusqu'au moment où ils auront vraiment besoin de cet argent. Je connais beaucoup de propriétaires de petites entreprises qui ont retiré de l'argent placé dans leur REER afin de l'injecter dans leur entreprise : ils ont payé les impôts sur ce retrait et poursuivi leurs affaires. Pour eux, leur REER était un moyen d'épargner pour le moment où leur entreprise en aurait besoin. Mais attention : vous ne pouvez pas simplement « remettre » un retrait effectué dans un REER. En effet, vous avez droit de verser chaque année sur votre REER une cotisation égale à un pourcentage de votre revenu, mais si vous en retirez de l'argent, vous ne pouvez le remettre que si vous n'avez pas atteint votre limite de contribution pour l'année en question. Donc, si votre REER est vraiment une pierre angulaire de votre régime de retraite à long terme (comme pour la plupart d'entre nous), vous ne devez y faire de retrait qu'après mûre réflexion.

Lorsque vous retirez de l'argent de votre REER, un certain montant est retenu pour fins d'impôts quand les fonds sont débloqués.

Vous devez en outre déclarer ce retrait dans vos déclarations de revenus en tant que revenu. Et, bien sûr, cet argent n'est plus en train de fructifier dans votre REER afin de vous fournir un revenu de retraite. Or, certains investisseurs providentiels (voir ci-dessous) utilisent de l'argent provenant de leurs REER autogérés pour l'investir dans une compagnie parce que cela est considéré comme une mise de fonds réelle, plutôt que comme un prêt ou un retrait. Il existe un programme permettant aux détenteurs de REER autogérés d'acheter des actions de petites sociétés de capitaux avec des fonds déposés dans leur REER, à la condition toutefois qu'ils n'aient aucun intérêt ni participation dans ces entreprises. Demandez plus de détails à ce sujet à votre comptable ou à l'Agence des douanes et du revenu du Canada. Votre comptable ou votre conseiller juridique ont peut-être aussi la possibilité de vous présenter de riches investisseurs cherchant de nouvelles occasions d'investissement.

Un REER autogéré est un régime que vous gérez vous-même. Vous prenez donc vous-même toutes vos décisions de placement et faites vos propres recherches et la surveillance de vos placements.

Finalement, vous pouvez retirer de l'argent de votre REER sous forme de prêt afin de financer vos études ou l'achat d'une première résidence (Régime d'accession à la propriété). En choisissant la bonne utilisation pour ces fonds, vous aurez peut-être trouvé une façon plus appropriée de retirer votre argent, et de le remettre sans incidences fiscales.

Les investisseurs providentiels

Un investisseur providentiel (soit un seul individu, soit un groupe d'individus) fournit des investissements de capitaux aux entreprises en démarrage ou en phase de croissance. On parle alors souvent de capitaux « patients », puisqu'ils permettent aux entreprises des «vacances de paiement», c'est-à-dire du temps pour se développer avant d'avoir à rembourser cet argent. Les comptables connaissent souvent des investisseurs providentiels qui cherchent des façons de réduire leurs impôts en investissant dans de petites entreprises.

Étant donné que, dans un tel cas, vous faites affaire avec une ou plusieurs personnes dont les façons de procéder sont moins strictes que celles des institutions prêteuses, il est bien possible que vous obteniez des modalités plus flexibles. Un investisseur providentiel peut néanmoins exiger un contrat énonçant la nature de l'investissement, les modalités de remboursement, l'échéance du prêt et d'autres détails précis et pertinents. Il est à noter par ailleurs qu'en empruntant à un investisseur providentiel, vous ne perdrez probablement pas le contrôle de votre entreprise. Mais, comme pour tout autre contrat que vous signez, assurez-vous au préalable que vous connaissez bien les conditions générales, l'échéance du remboursement et les coûts s'y rapportant.

La famille et les amis

Votre famille compte peut-être des membres qui pourraient devenir des investisseurs éventuels, c'est-à-dire des gens qui veulent vous aider financièrement, mais sans participer à la gestion de votre entreprise. De plus, en dehors de votre famille, il y a peut-être certains de vos amis, ou des amis de vos amis, ou même des inconnus, qui cherchent à soutenir et à encourager, selon leurs moyens, de petites entreprises.

Lorsque vous empruntez de l'argent à des parents ou à des amis, vous devez prendre soin d'énoncer clairement tous les détails du prêt dans votre entente. En effet, la meilleure façon d'éviter des différends fâcheux avec vos proches est de rédiger un document expliquant cette entente : incluez-y toutes les précisions afin d'éviter toute méprise ou supposition. C'est lorsqu'on éprouve des problèmes financiers qu'on a le plus tendance à se tourner vers des parents ou des amis, et c'est pourquoi les risques de malentendus ou de conflits sont plus élevés. Vous ne voulez pas que cette aventure vous fasse perdre à la fois votre entreprise et vos amis, ou encore, l'estime d'un membre de votre famille. Soyez prêt à les aider à comprendre votre entreprise, les raisons pour lesquelles vous avez besoin d'argent et la façon dont vous comptez l'utiliser. Si vous avez un plan d'affaires écrit (voir le chapitre 4), montrez-le à vos prêteurs éventuels, tout comme vous le présenteriez à tout autre prêteur institutionnel.

Les associés

Si vous décidez de ne pas vous adresser à une banque ni d'utiliser aucun des moyens décrits précédemment afin de trouver des fonds pour votre entreprise, vous réfléchirez peut-être à la possibilité de vous associer. Ou encore, peut-être qu'après avoir été en affaires pendant un an ou deux, vous concluez tout simplement, pour des raisons financières ou autres, que vous aimeriez avoir un associé. Non seulement un associé apportera-t-il une nouvelle mise de fonds dans l'entreprise, mais aussi il vous prêtera main-forte et fournira de nouvelles idées et de nouveaux réseaux pour vos affaires (voir le chapitre 2 pour des renseignements sur les associations).

Votre entreprise comme source de fonds

Peu importe si vous êtes en affaires depuis un mois ou dix ans, il peut vous arriver d'avoir l'impression de ne pas avoir tout l'argent nécessaire pour gérer votre entreprise efficacement. C'est le moment de vérité où, sous le dur éclairage de la réalité, vous vous mettez à considérer votre plan d'affaires d'un autre œil.

Le premier endroit où commencer votre recherche de fonds est dans l'exploitation même de votre entreprise. Vous ne les trouverez peut-être pas sous la forme d'un seul gros montant, comme celui qui est fourni par un prêt. Mais en modifiant quelques-unes de vos pratiques commerciales, vous pouvez dégager de l'argent et améliorer vos liquidités. Vous croyez peut-être appliquer déjà la plupart des pratiques décrites ci-dessous, mais il peut arriver que vous perdiez de vue ces principes de base ; il est donc pertinent de les revoir et de vous assurer que vous obtenez le maximum de votre entreprise.

Les comptes clients

Examinez d'abord vos comptes clients, c'est-à-dire les sommes que vous doivent vos clients pour des biens achetés ou des services reçus. C'est souvent là que vous pouvez trouver de l'argent qui se cache. Plus vos clients tardent à vous payer et moins vous disposez de fonds pour payer vos factures. En fait, on peut même dire que si vos clients attendent plus de 30 jours pour régler vos factures, vous êtes devenu une banque pour eux !

Lorsque vous concluez des ententes de crédit avec vos clients, vous fixez les modalités et le terme de leurs paiements. En vous assurant que vous obtenez les sommes dues à temps ou en renégociant la période de l'échéance (de 90 à 60 jours ou de 60 à 30 jours, par exemple), vous pouvez accroître vos liquidités. Il est à noter que vos comptes clients représentent des sommes qui vous sont « dues ». Si vos clients ne respectent pas leurs échéances, vous devrez peut-être leur demander de payer comptant ou par carte de crédit, ou même, décider de ne plus leur faire crédit.

L'objectif est donc de recevoir les sommes dues par vos clients avant que vous n'ayez à faire vos propres paiements. Ainsi, vous n'avez pas à contracter un emprunt pour vous permettre d'attendre que vos clients vous paient. Or, quand les entrepreneurs sont débordés, le suivi des comptes est généralement le premier aspect qu'ils négligent. Et si vous ne savez pas qui vous doit de l'argent, ni depuis quand, vous vous privez peut-être du meilleur moyen d'obtenir des fonds pour votre entreprise. Recouvrez dès que possible ce qui vous est dû, afin de pouvoir payer ce que vous devez !

Commencez avec les clients qui ont un compte en souffrance et tentez d'en découvrir les raisons. Cette démarche est l'une des tâches les plus difficiles pour certains propriétaires de petites entreprises: une visite au directeur de leur banque leur semble moins désagréable que d'avoir à rappeler gentiment à leurs clients que leurs paiements sont dus. Si vous n'avez pas le temps de recouvrer vous-même vos créances, songez à payer quelqu'un pour le faire à votre place. Par ailleurs, offrez des escomptes de règlement aux clients dont les comptes ne sont pas encore à échéance, s'ils acceptent de vous payer plus tôt. Cette mesure les incitera peut-être à vous régler tout de suite.

Comment recouvrir vos comptes clients?

- Faites-le vous-même: personne n'a autant de motivation que vous pour récupérer cet argent.
- Engagez un employé à temps partiel pour recouvrer à votre place les sommes qui vous sont dues.
- Demandez à votre aide-comptable, comptable agréé (CA) ou comptable en management accrédité (CMA) de s'en charger.
- Tournez-vous vers l'affacturage, une autre méthode assurant du financement à court terme: plutôt que de les affecter en nantissement pour un prêt, vendez vos comptes clients (à escompte) à une société d'affacturage. Vous devez payer une commission à cette société, mais vous n'avez plus à recouvrer vous-même vos comptes clients ou à risquer de vous retrouver avec des créances irrécouvrables. Les paiements de vos clients sont alors expédiés à la société d'affacturage plutôt qu'à vous. Il est vrai que cette approche entraîne des coûts: toutefois, si votre entreprise a la possibilité de gagner encore de l'argent malgré ces frais, vous devriez peut-être y réfléchir.

Les comptes fournisseurs

La démarche suivante est l'étude de vos comptes fournisseurs, c'est-à-dire les sommes que vous devez à vos fournisseurs pour des biens et des services qu'ils vous ont vendus. Pouvez-vous les régler à des échéances plus longues? Par exemple, vous réglez peut-être actuellement vos fournisseurs dans les 15 jours suivant la réception de leurs factures, mais ils vous permettent de payer dans les 30 ou 60 jours sans pénalité de retard. Vous prévalez-vous de cet avantage? Vous est-il possible de négocier des échéances sans pénalité encore plus longues? Par ailleurs, vérifiez les factures de vos fournisseurs pour voir s'ils offrent un escompte pour des paiements anticipés. Si vous disposez des fonds nécessaires, payez assez tôt afin de bénéficier d'un tel escompte, le cas échéant.

Il est étonnant de constater quel impact sur la gestion de votre trésorerie peuvent avoir 15 jours de plus ou de moins. Si vous êtes payé 15 jours plus tôt et étendez de 15 jours l'échéance de vos paiements, vous augmentez le solde de votre compte bancaire et réduisez même le montant des intérêts que vous payez à la banque, car vous utilisez moins (ou pas du tout!) votre marge de crédit d'exploitation.

Les dépôts

Dans certains secteurs d'activité (p. ex.: la rénovation résidentielle), les entrepreneurs doivent engager des dépenses de matériaux avant de pouvoir envoyer leurs factures à leurs clients. Afin d'éviter de dépenser l'argent provenant d'un projet précédent pour acquérir les matériaux d'un nouveau projet, spécifiez à votre client éventuel au moment où vous faites le devis que vous demandez un dépôt si le travail vous est confié. Expliquez-lui que ce dépôt servira à acheter les matériaux nécessaires pour entreprendre les travaux. C'est une question de bon sens: si vous ne recevez pas de dépôt, vous devez financer le coût des matériaux pour un projet qui peut s'étirer sur de longs mois avant que les travaux soient terminés et le paiement final reçu.

Les paiements par acomptes

Quand vous entreprenez un projet d'envergure, essayez d'obtenir de votre client le paiement d'acomptes aux dates de fin de certains travaux ou de livraison de services. Dans le secteur de la rénovation résidentielle, pour reprendre notre exemple, vous pouvez rattacher des paiements à la fin des travaux d'électricité et de plomberie, puis à la fin de la finition des murs et de l'installation des fenêtres, et ainsi de suite.

Les stocks

Évaluez le volume idéal de stocks qui vous est nécessaire pour effectuer vos livraisons à temps, puis procédez à un inventaire de vos stocks. Vérifiez ensuite si vous ne faites pas de surstockage. Le contrôle de vos stocks est une mesure efficace, mais il est parfois difficile à réaliser. Or, un excédent de 10 à 15% de vos stocks peut priver votre entreprise de fonds indispensables et peut aussi être très coûteux. Il est donc important d'exercer une vigilance constante. Si vous avez trop de stocks, débarrassez-vous de l'excédent : essayez de le retourner, cédez-le à une autre entreprise dans votre secteur d'activité ou vendez-le à rabais. Par la suite, contrôlez toujours rigoureusement le volume de vos stocks. Cependant, cette tâche peut être trop prenante si vous manquez déjà de temps : par exemple, si vous devez courir les routes pour trouver de nouveaux clients ou si vous travaillez jusqu'à minuit pour préparer votre nouveau catalogue. L'embauche de personnel pour s'en occuper pourrait régler ce problème (voir le chapitre 7).

Vous devez aussi, naturellement, surveiller vos habitudes d'achats. Je compare souvent le contrôle des stocks à la planification de ma liste de provisions. Si je n'inventorie pas mes stocks avant d'aller au supermarché, je me retrouve avec, par exemple, une autre boîte de craquelins qui s'ajoute à celles déjà stockées dans mon garde-manger ! Un tel magasinage non planifié absorbe des sommes que je pourrais mieux dépenser autrement.

Les prix

Lorsqu'on exploite une entreprise, la conjoncture change constamment : augmentation des tarifs des services publics, hausses de loyer, accroissements des coûts reliés aux produits ou services que vous vendez, etc. Reportez-vous ces coûts sur vos clients ou sont-ils en train de gruger vos bénéfices et votre capital ? Le moment est peut-être venu de réviser à la hausse vos prix ou vos tarifs. Et si à cause d'une telle augmentation vous perdez un client difficile qui demande beaucoup d'attention, pouvez-vous le remplacer par deux autres (ou même plus) qui vous donneront un meilleur rendement ?

Évaluez une fois de plus le rapport qualité-prix de vos services. Avec le temps, vous acquérez de l'expérience et de la compétence, et la valeur de vos connaissances augmente. Avez-vous ajusté vos prix en conséquence ? Savez-vous quelle est la norme sur le marché ? Ce concept de maximalisation de la tarification est particulièrement important pour les fournisseurs de services, qui ont parfois de la difficulté à évaluer la valeur de leurs services. Il peut vous sembler risqué de demander plus que le « taux en vigueur » dans votre secteur d'activité, mais si votre clientèle apprécie votre travail, elle acceptera probablement une augmentation de vos tarifs. Il est toujours profitable de comparer vos prix avec ceux de vos concurrents, pour voir si vous êtes bien positionné dans votre marché. N'évaluez pas seulement la valeur de vos produits ou services, mais aussi la valeur de ce que vous apportez à cette équation.

Le capital de risque

Les investisseurs de capital de risque représentent un autre type de prêteurs. Ce sont des individus ou des sociétés qui possèdent un excédent de bénéfices non répartis et cherchent de bonnes occasions d'investissement (alléchant, n'est-ce pas ?). Il peut s'agir de sociétés de portefeuille (société dont l'actif est essentiellement composé d'actions d'autres sociétés et qui effectue des opérations financières intéressant ces dernières, sans intervenir dans la gestion de ces autres sociétés) cherchant à répartir leurs risques. Ou encore, de sociétés créées dans le but d'investir ou de fournir du capital de risque, pour des raisons de fiscalité. Ou bien, enfin, il s'agit peut-être d'individus qui veulent tout simplement réduire leurs impôts. Un capital-risqueur prend généralement une participation (actions) dans votre entreprise.

Le capital de risque fournit des capitaux faits sur mesure pour les entreprises en croissance. Mais puisque de nombreux investisseurs de capital de risque prennent une participation dans votre entreprise, vous renoncez à la pleine propriété de celle-ci et à une certaine partie de son contrôle. Or, lorsque les entreprises cherchent du capital de risque, elles sont généralement sur le point de prendre de l'expansion ou d'acheter une autre entreprise. Quoiqu'il existe beaucoup de sociétés d'investissement en capital de risque au Canada, votre défi est d'en trouver une qui s'intéresse aux petites entreprises. La Banque de développement du Canada (BDC) est un excellent exemple d'institution financière fournissant du financement au marché des petites et moyennes entreprises. Avant de prendre une décision sur un éventuel financement, les investisseurs de capital de risque ne considèrent pas seulement les actifs de votre entreprise (comptes clients, stocks et immobilisations), mais aussi la qualité de sa gestion, son rendement antérieur, ses flux de trésorerie ainsi que les grandes tendances de son secteur d'activité.

Votre banquier

Quelle que soit la provenance de l'argent dont vous avez besoin, votre banquier a un rôle important à jouer dans la vie de votre entreprise. Souvent, il vous pose à ce sujet des questions qui ne vous sont pas venues à l'esprit ou il vous suggère des domaines et des occasions pour vous et votre entreprise. En général, il est également à même de vous donner de bons conseils à propos de vos idées et vos projets.

Votre banquier : un partenaire

Malheureusement, beaucoup envisagent les relations avec leur banquier sous l'angle de la confrontation et croient qu'il est toujours prêt à leur mettre des bâtons dans les roues pour les empêcher d'obtenir des prêts. Il est vrai que, par le passé, les banquiers n'ont pas toujours adopté une attitude respectueuse et réfléchie. Heureusement, les temps ont changé, surtout en ce qui concerne les petites entreprises. Les banques reconnaissent maintenant que les petites entreprises contribuent à générer une bonne partie de leurs chiffres d'affaires et elles déploient beaucoup d'efforts afin de mieux servir ce marché. Vous devriez alors considérer la recherche d'un banquier comme une occasion de trouver un autre allié susceptible de participer au succès de votre entreprise.

Si vous avez déjà établi une relation avec une banque, commencez votre recherche à cet endroit. Jusqu'à ce jour, vous n'y avez peut-être fait affaire qu'avec les caissiers, les guichets automatiques et l'agent des services bancaires aux particuliers qui vous a consenti une hypothèque sur votre résidence. Vous devriez maintenant prendre contact avec d'autres membres du personnel de la banque et vous faire mieux connaître. Certaines banques ont des conseillers qui se consacrent aux petits entrepreneurs : ils vous donnent accès à une gamme de services personnels et d'affaires. Vous devez exposer à votre banquier tous les objectifs de votre entreprise, et pas seulement les objectifs financiers. Communiquez-lui, entre autres, votre passion pour votre entreprise et la manière dont vous entendez traiter vos clients et vos employés. Décrivez certains de vos clients et expliquez ce que vous avez déjà entrepris pour atteindre vos objectifs. Faites-lui comprendre les liens entre vos objectifs d'affaires et vos objectifs personnels, financiers et autres. Invitez-le aussi à visiter vos locaux et tenez-le au courant des événements marquants : par exemple, un nouveau client qui passe une grosse commande, et

> *Votre banquier devrait être pour vous un partenaire. Il peut en effet vous aider relativement à plusieurs aspects de votre entreprise. Plus votre banquier vous connaît, vous et votre entreprise, et plus la relation avec lui vous sera profitable.*
>
> — Alan Carson, Carson Dunlop, Toronto (Ontario)

plus important encore, la deuxième commande de ce client!

Si de telles démarches ne suffisent pas pour établir une bonne relation avec votre banquier, remettez-vous en chasse pour en trouver un autre. Trouvez-en un qui a la même passion pour les services bancaires aux petites entreprises que celle que vous avez pour votre propre entreprise. Si votre banquier n'aime pas discuter de vos affaires, vous devriez traiter avec quelqu'un d'autre. En effet, votre entreprise connaît sûrement des hauts et des bas: quand votre banquier comprend ce qui les provoque, il est plus en mesure de vous offrir des options et des idées pour vous mettre sur la voie de la réussite. Et de cette façon, vous risquez moins de recevoir un appel de la banque vous demandant de rembourser la totalité de votre marge de crédit.

Tenez votre banquier au courant de votre situation. Si vous le surprenez avec de mauvaises nouvelles, il vous demandera sûrement: «Que s'est-il passé?» Alors, prenez l'habitude de le rencontrer régulièrement (mensuellement ou annuellement, selon votre situation et vos besoins d'affaires) pour lui faire part des derniers développements dans votre entreprise. N'attendez pas d'avoir besoin d'un prêt pour prévoir ces rencontres.

Quand votre entreprise est en croissance et qu'il vous faut un nouveau plan d'affaires, consultez votre banquier à ce sujet. Il peut vous faire connaître de nouveaux moyens de faire épargner de l'argent à votre entreprise ou de nouveaux produits et services susceptibles de vous faire gagner du temps et de l'argent, de même qu'à vos clients. Votre banquier peut aussi vous fournir des occasions d'accroître le réseau de vos connaissances: il connaît probablement des gens ou d'autres entreprises qui ont besoin de vos services.

Une relation fructueuse

Vous commencez une relation avec votre banque et désirez qu'elle soit fondée sur une confiance mutuelle. Pour ce faire, votre banquier a besoin de vous connaître, vous et votre entreprise. Plus votre banquier comprend votre personnalité et votre entreprise, plus il est en mesure de vous aider et vous conseiller.

De quels renseignements votre banquier a-t-il besoin?

Votre définition de la réussite. Tous les gens n'ont pas la même définition du succès. Dans votre cas, peut-être cherchez-vous à retirer de votre entreprise un revenu suffisant pour habiter une maison qui vous plaise, subvenir adéquatement aux besoins de votre famille, vous payer les vacances dont vous avez envie, décider du moment et du type de votre retraite, et aussi, faire des affaires pour réaliser vos rêves. Atteindre ces objectifs signifie pour vous que vous aurez réussi. Vous avez donc intérêt à les expliquer à votre banquier pour qu'il vous aide à les réaliser, même si sa propre définition de la réussite est différente de la vôtre.

Votre plan d'affaires et vos projets pour votre entreprise. Comment gagnerez-vous votre argent? Le type d'entreprise que vous avez choisi connaît-il des hauts et des bas? Quelles sont les perspectives de croissance? Votre banquier a besoin de savoir la manière dont vos activités contribueront à rembourser la dette que vous assumez: par exemple, comment une partie de l'équipement que vous achetez aidera-t-il à générer des recettes? Vous pouvez aider votre banquier à comprendre la façon dont votre plan d'affaires intervient dans la réalisation de vos objectifs. (Le plan d'affaires est d'ailleurs une bonne préparation pour vous, que vous ayez ou non à discuter d'un prêt avec votre banque.)

Préparez-vous aussi à répondre à des questions difficiles. Il arrive au banquier de jouer à l'avocat du diable: non pas parce qu'il doute de vous, mais plutôt parce qu'il cherche à comprendre toute la situation. Son but devrait être de vous aider à gagner temps et argent, à trouver les méthodes les mieux adaptées à votre entreprise et de vous orienter vers les gens qui sont capables de trouver avec vous des solutions à vos problèmes.

Si votre demande de prêt est refusée, vous avez le droit de connaître la raison de ce refus. Aucun banquier de ma connaissance n'aime annoncer une décision négative à un client, et aucun client n'aime recevoir ce genre de nouvelles. Même si vous vous sentez insulté par une telle annonce et la prenez comme un rejet personnel, vous devez en demander la raison. Concentrez-vous sur l'essentiel, c'est-à-dire apprendre pourquoi votre demande de prêt a été rejetée. Et ne le prenez pas personnellement; rappelez-vous que ce n'est pas vous qu'on a écarté, mais bien votre demande spécifique d'emprunt. Tout banquier respectable est toujours prêt à vous expliquer ses motifs. Ensuite, occupez-vous des questions soulevées par sa réponse et non pas des émotions qu'elles suscitent en vous.

Souvent, des demandes d'aide financière sont refusées simplement parce que la totalité des renseignements nécessaires ne sont pas fournis ou sont mal compris. Parler d'une demande rejetée vous donne l'occasion de compléter l'information et de clarifier certains détails, ou même, de discuter d'autres options. Le motif du refus de votre prêt peut échapper à votre contrôle: par exemple, des factures qui n'ont pas été payées parce que, à la suite de votre déménagement, votre fournisseur n'a pas effectué votre changement d'adresse comme vous le lui aviez demandé. Votre banquier a besoin de connaître les raisons de telles occurrences. Parfois, votre dossier de crédit personnel contient des détails (voir plus loin dans ce chapitre) que vous ignorez, que vous avez oubliés ou que vous avez contestés: il est primordial de vous en occuper tout de suite, ou à tout le moins, de fournir des explications à leur sujet. La meilleure solution est d'obtenir des spécifications de votre banquier ou de l'agence d'évaluation du crédit personnel, lesquelles vous permettront d'agir et de faire corriger votre dossier dans le cas d'erreurs ainsi que de fournir les renseignements nécessaires.

«Non» signifie parfois simplement: «Nous n'avons pas assez d'information» ou «Nous ne comprenons pas».

Le stress de l'endettement

Les dettes sont un lourd fardeau, très stressant à porter. À toutes les autres responsabilités reliées à la gestion d'une petite entreprise s'ajoute alors l'inquiétude de savoir si vous êtes capable de faire les paiements pour rembourser l'argent que vous avez emprunté. Mais avec une certaine planification, il est possible de diminuer cette inquiétude et de vous éviter des insomnies.

Évidemment, lorsque vous n'arrivez pas à dormir parce que vous devez payer vos employés et vos fournisseurs le lendemain et que vous comptez sur l'espoir de trouver le chèque de votre meilleur client dans le courrier, vous êtes exposé au stress. Comme pour tout autre problème qui vous inquiète, il vaut mieux vous confier à quelqu'un. Vous pensez peut-être que votre banquier n'est pas la personne idéale avec qui discuter de vos difficultés financières et que vous ne devriez lui communiquer que de bonnes nouvelles. Cependant, dans beaucoup de cas, il vaut mieux lui en parler plus tôt que trop tard : cela peut vous éviter bien des tourments. Parfois, il suffit de partager vos inquiétudes pour soulager votre anxiété et visualiser des solutions. En outre, quand vous en parlez avec un allié, qui vous connaît à fond, vous et votre entreprise, il se peut qu'il ait des suggestions constructives pour vous. À tout le moins, il peut vous écouter avec empathie, et c'est peut-être tout ce dont vous avez besoin.

Vous connaissez sûrement la fable de la cigale et de la fourmi, qui nous incite à la prévoyance : eh bien, elle est toujours valable ! Et cela vaut d'autant plus pour une entreprise cyclique : les cycles économiques sont parfois plus prévisibles que la température... Si vous dirigez une petite entreprise dans le domaine du tourisme, un petit hôtel par exemple, cette planification vous donne une longueur d'avance. Vous savez que votre meilleure saison est l'été et que le printemps et l'automne sont plus lents mais viables. Quant à l'hiver, c'est le creux cyclique pour lequel un peu de prévoyance s'impose. Pendant cette période, vous avez quand même des charges d'exploitation : préparation des promotions de la nouvelle année, rénovations, achat de nouvelles fournitures, tandis que vos recettes sont extrêmement basses ou même nulles. Si vous mettez de l'argent de côté pour traverser ces périodes de ralentissement et continuer les paiements de vos emprunts, vous vous sentirez plus en possession de vos moyens et confiant de gérer votre entreprise aussi efficacement que possible.

En vous basant sur votre plan d'affaires et vos états financiers (voir les chapitres 4 et 10), vous serez capable de discerner les hauts et les bas caractéristiques de votre secteur d'activité. Quand vous savez la nature exacte de vos rentrées et sorties de fonds, vous êtes plus en mesure de gérer vos flux de trésorerie et de reconnaître l'imminence d'une crise financière. De plus, revoir vos comptes clients chaque mois vous permet d'identifier ceux sur lesquels vous pouvez compter pour payer à temps vos propres obligations. Ce petit exercice mensuel est excellent pour déceler d'éventuels problèmes de trésorerie. Ce client dont vous attendiez le paiement lundi n'a pas encore payé en fin de journée ? Il s'agit d'un problème que vous devez régler sur-le-champ. Parlez à ce client, puis communiquez avec votre banquier. Ne laissez pas cet incident relativement mineur prendre des proportions démesurées. Si votre banquier sait que vous ne laissez pas dégénérer de telles situations, il aura tendance à collaborer avec vous pendant que vous réglez l'affaire avec votre client.

Les banquiers sont bien conscients que vous ne pouvez pas vous précipiter à la banque chaque jour pour leur expliquer votre situation. Mais il vaut toujours mieux avertir votre banquier à l'avance de tout problème éventuel : cela solidifie les bases de votre relation avec lui. Quand une crise se manifestera, il sera alors plus disposé à y mettre du sien.

Le courrier électronique est un excellent moyen de tenir votre banquier au courant de vos affaires.

D'autres mesures simples de prévoyance des moments de crise sont l'obtention d'une marge de crédit d'exploitation et d'une carte de crédit commerciale. Ces instruments sont parfaits pour donner accès à un financement d'appoint au moment opportun. Recourez-y au besoin, afin de vous éviter plus tard des inquiétudes et du stress. Si vous vous sentez perpétuellement hyper stressé, réfléchissez aux conséquences d'un tel mode de vie pour votre avenir et même votre survie. Quand vous passez la plupart de votre temps à trouver des moyens de survivre au lieu de penser à la croissance de votre entreprise, c'est non seulement très dur émotionnellement, mais mauvais pour vos affaires.

La planification est le meilleur moyen de faire face au stress de l'endettement. C'est plus facile à dire qu'à faire, mais en planifiant pour parer à toutes les éventualités qui vous viennent à l'esprit, vous êtes mieux préparé pour celles qui surgiront de nulle part. Qui aurait pu prévoir, par exemple, les événements du 11 septembre 2001 ? Néanmoins, ils ont eu un effet profond sur nous tous, à la fois personnellement et professionnellement. Lorsque vous avez un plan de secours (même s'il n'existe que dans votre esprit), vous êtes plus en mesure de faire face à des événements dévastateurs qui échappent totalement à votre contrôle.

Les agences d'évaluation du crédit personnel

Un des moyens d'exercer un bon contrôle est de connaître l'évaluation que font les autres de votre degré de solvabilité. Il est facile de découvrir ce que contient votre dossier de solvabilité ; c'est une information qui peut être précieuse, car chaque prêteur à qui vous demandez de vous consentir un prêt consulte d'abord habituellement ce dossier. Il est donc important de vérifier que son contenu est exact et de faire corriger toute erreur.

Consultez votre dossier de solvabilité au moins une fois par année : toute consultation de son propre dossier est gratuite. Vous devez envoyer votre demande par lettre ou vous présenter aux bureaux de l'agence. Dans les deux cas, vous devez fournir les renseignements suivants :

- votre nom, incluant tous vos prénoms ou initiales (le cas échéant),
- votre numéro d'assurance sociale (facultatif),
- votre date de naissance,
- votre adresse actuelle,

- votre adresse précédente, si vous avez déménagé dans les cinq dernières années,
- le nom et le numéro d'assurance sociale de votre conjoint (également facultatifs),
- des photocopies de deux documents d'identification émis par le gouvernement (p. ex.: passeport et permis de conduire), qui comportent votre signature.

Certaines agences d'évaluation du crédit peuvent exiger des renseignements supplémentaires, comme une copie d'une facture récente de services publics, pour confirmer votre adresse. Il vaut mieux aussi donner votre numéro de téléphone afin que l'agence puisse vous contacter au besoin. Il ne devrait pas y avoir de frais pour obtenir une copie annuelle de votre dossier. Si vous faites des demandes plus fréquentes, on vous réclamera des frais peu élevés chaque fois. Deux des agences dans ce domaine au Canada sont Equifax Canada et TransUnion Canada. Par ailleurs, contre le paiement de frais mensuels, Equifax vous avertit par courriel chaque fois que des renseignements négatifs sont inscrits à votre dossier de solvabilité. Vous devriez aussi demander chaque année une copie du dossier de solvabilité de votre entreprise. Plus de 3000 fournisseurs y inscrivent des renseignements, et sa consultation est gratuite.

Lorsque vous recevez votre dossier de solvabilité, prenez le temps de le lire et de le comprendre. Il contient vos nom, numéro d'assurance sociale, date de naissance, numéro de téléphone, adresses actuelle et précédentes, employeurs actuel et précédents, la description de vos emplois ainsi que le nom de votre conjoint. De plus, il comprend une liste de tous ceux qui ont demandé et reçu une copie de votre dossier. S'y trouvent également vos antécédents en matière de crédit et votre information bancaire, dont l'état actuel de vos prêts non encore remboursés. Si vous y détectez des erreurs, prenez contact avec les institutions qui ont fourni les renseignements et demandez une correction. Faites aussi parvenir une copie de ces demandes de modification à l'agence d'évaluation du crédit.

Pour vérifier la solvabilité de vos clients éventuels, vous pouvez recourir vous-même à Equifax et à TransUnion par l'intermédiaire de l'un de leurs membres (les banques peuvent aussi s'en charger). Vous avez toutefois besoin de l'accord par écrit de ces futurs clients avant de pouvoir obtenir toute information sur leur solvabilité.

Chapitre 4

Le plan d'affaires

Vous serez peut-être étonné d'apprendre que presque toutes les entreprises, grandes ou petites, ont un plan d'affaires. La différence est que, la plupart du temps, les propriétaires de petites entreprises n'ont pas besoin de mettre ces plans par écrit, puisqu'ils sont gravés dans leur esprit. Alors, pourquoi devriez-vous rédiger un plan d'affaires officiel pour votre petite entreprise en démarrage ou déjà établie ? Quels en sont les avantages ?

> Il est important d'être conscient des changements et de s'adapter en conséquence. Ce qui fonctionnait auparavant ne vaut peut-être plus maintenant ! Tout change : les clients, les secteurs d'activité, les entreprises, les gouvernements, les règlements. L'adaptabilité et la flexibilité sont donc des qualités indispensables à tout entrepreneur.
>
> – G. Tyler Pellegrini, Exclusive Auto & Marine

- Il vous aide à déterminer vos concurrents et vous incite à réfléchir aux moyens de vous différencier d'eux.
- Il montre où et comment vous vous attendez à générer des revenus.
- Il vous aide à caractériser votre clientèle.
- Il vous aide à déterminer vos fournisseurs.
- Il peut aussi donner un aperçu des stratégies de marketing et de prix.
- Il contribue à indiquer si vous avez besoin de financement externe, et le cas échéant, la somme nécessaire de même que le moment où vous en aurez besoin.
- Finalement, la préparation d'un plan d'affaires vous oblige à

réfléchir à des questions difficiles afin d'assurer le succès de votre entreprise.

Votre plan d'affaires pourrait être comparé à un article de journal. En effet, il formule les réponses aux questions que se pose tout bon journaliste : qui ? quoi ? où ? quand ? pourquoi ? Surtout, il peut aussi cerner le « comment ? ». Votre première tentative pour élaborer un plan d'affaires suscitera peut-être plus de questions qu'elle n'apportera de réponses. Mais ne vous inquiétez pas : cela est tout à fait normal, et c'est même une bonne chose ! À mesure que vous révisez et raffinez votre plan, ce dernier accomplit sa fonction, puisqu'il vous fait réfléchir aux différents aspects de votre entreprise.

Je dois avouer que je suis une adepte inconditionnelle des plans d'affaires. Je dresse constamment des listes pour organiser ma vie et j'ai de la difficulté à imaginer comment on pourrait se débrouiller sans elles. Mais je comprends que tous les gens ne sont pas comme moi ! Je reconnais que certains n'ont pas besoin de listes, ne les aiment pas ou n'en font jamais. Cela n'implique pas un manque de planification de leur part, mais simplement qu'ils utilisent d'autres méthodes. Votre approche du plan d'affaires est tout aussi personnelle. L'important n'est pas ce que vous écrivez ou la manière dont vous suivez un modèle, mais plutôt ce que vous pensez et planifiez pour l'avenir, et les moyens que vous mettrez en œuvre pour y parvenir.

Je vous invite à lire ce chapitre même si vous pensez qu'il ne vous sera pas utile. Toutes les entreprises ont besoin d'un plan d'affaires, et vous ferez peut-être des découvertes étonnantes pendant sa préparation.

Un plan d'affaires bien préparé peut produire une vive impression sur un éventuel investisseur ou prêteur. De plus, votre plan d'affaires aide les gens que vous intégrez à votre équipe à mieux vous conseiller. Surtout, il peut servir de référence au cours des années pour évaluer votre entreprise. Vous devriez le réviser annuellement, et même plus souvent, afin de mesurer vos progrès par rapport à vos objectifs et déterminer la nature des changements. Rappelez-vous cependant que le plan d'affaires n'est qu'un plan directeur : ce sont vos actions qui en feront une réalité. Enfin, n'oubliez jamais que certaines choses ne se produiront pas comme vous l'avez prévu.

Au cours de ma carrière de conseillère financière, j'ai souvent remarqué que si les entrepreneurs cessent de se consacrer aux activités dans lesquelles ils excellent (la raison pour laquelle ils se sont lancés en affaires), ils perdent leur «élan vital» et leur entreprise s'en ressent : les choses ne vont plus aussi bien, quoique subtilement. Comme votre plan d'affaires est le canevas de vos réflexions, vous pouvez le revoir régulièrement pour conserver votre concentration et votre force quand les choses vont bien ou repenser votre stratégie pour améliorer une situation qui se détériore.

Votre plan d'affaires changera au cours du développement de votre entreprise (selon ses périodes de croissance et de ralentissement), mais il comportera toujours les mêmes éléments de base. Si vous ne réfléchissez pas assez sur votre parcours d'affaires, passé et futur, il se peut que vous adoptiez une mauvaise tactique : vous gagnerez alors moins d'argent, consacrerez plus de temps à régler les problèmes et aurez sans doute de la difficulté à atteindre vos objectifs personnels et d'affaires. Votre plan d'affaires doit donc évoluer, mais il n'est pas nécessaire de le réécrire entièrement. Il suffit de le revoir de temps à autre pour confirmer que vous maintenez bien le cap.

Pendant la préparation de votre plan d'affaires, vous ne devriez pas être à l'écoute de votre banquier, mais plutôt des centaines de milliers d'entrepreneurs prospères, qui clament en chœur : «Sans plan d'affaires, les affaires restent en plan !» En fait, ils ne disent pas : «Rédigez un plan d'affaires», mais plutôt : «Planifiez !»

Qui a besoin d'un plan d'affaires?

La rédaction du plan d'affaires vous permet de mieux planifier votre stratégie d'entreprise. On dit souvent qu'il ressemble à une carte routière : il montre la destination que vous avez choisie et le trajet que vous envisagez de suivre pour l'atteindre. Dans l'avenir, il peut révéler votre position par rapport au but visé et la pertinence de corriger ou non votre trajectoire.

Vous êtes le principal bénéficiaire de votre plan d'affaires. Il vous aide à clarifier vos idées concernant votre entreprise et vous permet une approche plus réfléchie et organisée. Quiconque investit dans votre entreprise ou vous prête de l'argent sera intéressé à en prendre connaissance. De plus, cette personne aura peut-être des suggestions ou des questions que vous n'avez pas encore envisagées; vous ne devez donc pas cacher votre plan. Même si vous n'êtes pas à la recherche de fonds, soumettez-le aux personnes de votre entourage : banquier, conseiller juridique, comptable, conseiller en marketing, conjoint. Chacune d'elles pourra formuler des commentaires précieux. Lors du démarrage de votre entreprise, il est crucial que vous regardiez la situation bien en face et que vous écoutiez les conseils prodigués par vos proches.

Vous pouvez également faire appel aux mentors qui vous ont déjà guidé par le passé pour évaluer votre plan d'affaires. Ces gens veulent votre réussite et n'hésiteront donc pas à vous poser les questions difficiles que vous n'avez peut-être pas osé affronter. À mesure que se forme votre plan, vous pouvez considérer les chiffres et les conjectures projetés, puis décider comment aborder les problèmes qui ont été soulevés par vos mentors. Leur but n'est pas de vous décourager de vous lancer en affaires, mais plutôt de vous aider à trouver la voie du succès en mettant le doigt sur d'éventuels problèmes sur lesquels vous devriez vous concentrer.

L'élaboration du plan d'affaires

Pour être efficace, un plan doit être bien pensé. Avec tout ce qui vous trotte dans la tête, le plan d'affaires est un aspect de votre démarche qu'il est préférable de coucher sur le papier pour ne pas en oublier les détails. Même si vous n'avez pas d'expérience de rédaction, il n'est pas trop compliqué à réaliser, car il existe des modèles que vous pouvez suivre à travers les différentes étapes du processus. La plupart des banques offrent ces modèles sur leur site Web ou vous pouvez en acheter un.

Tous les plans d'affaires conventionnels ne sont pas conçus pour les petites entreprises. Vous devez donc en choisir un qui convienne à votre situation. Votre modèle de plan d'affaires ne devrait pas être trop abstrait et vous obliger à écrire de longues pages de texte: cela demande trop de travail et risque de vous décourager. Il vous en faut plutôt un qui soit pertinent et précis, qui vous fait gagner du temps mais qui couvre tous les points. Demandez à votre comptable, à votre banquier ou à d'autres propriétaires de petites entreprises de vous en conseiller un qui soit adapté à votre projet d'entreprise.

Les éléments du modèle

Voici les éléments que comporte en général un modèle type de plan d'affaires:

- *Énoncé de mission.* Vous y exposez les grandes lignes des objectifs de votre entreprise, votre philosophie d'affaires et votre vision de ce que deviendra votre entreprise. Pendant que vous élaborez cette partie du plan, réfléchissez aux raisons qui vous ont poussé à vous lancer en affaires. Lorsque vous révisez votre plan d'affaires par la suite, demandez-vous: «Les choses ont-elles changé? Ai-je réussi ce que je voulais faire?» Il est également utile de réviser vos objectifs financiers personnels à ce moment-là. Le succès de votre entreprise est aussi la clé de votre réussite personnelle.
- *Historique de l'entreprise.* Si vous êtes en affaires depuis quelques

années, tracez les grandes lignes de l'évolution de votre entreprise : le nom de son fondateur, la date de sa création, sa structure organisationnelle et les changements depuis sa fondation. Si vous démarrez votre entreprise, vous utilisez les compétences que vous avez acquises au cours de votre carrière : il est donc important d'expliquer vos antécédents professionnels et leur pertinence dans votre nouvelle entreprise. Votre *curriculum vitæ* personnel peut faire partie de votre plan d'affaires.

- *Objectifs de l'entreprise.* Vous devez énoncer vos objectifs en termes mesurables. Au lieu d'affirmer : «Nous voulons devenir la meilleure entreprise d'horticulture de la province», vous devriez plutôt dire : «Au cours de notre première année d'exploitation, nous visons à conclure des ententes avec trois détaillants importants». Voici d'autres objectifs qu'il est possible d'inclure dans votre plan : accroissement de votre rentabilité, recherche de nouveaux investisseurs, embauche de personnel supplémentaire.

Vos buts doivent être :
explicites,
mesurables,
réalistes,
pertinents,
circonscrits dans le temps.

- *Structure organisationnelle.* Dans cette section, vous devez mentionner la dénomination sociale et la structure de votre entreprise, ainsi que le nom de ses propriétaires et de ses employés.
- *Description des produits et services.* Exposez tous les aspects particuliers de vos produits et services : en quoi sont-ils différents de ceux qui sont déjà offerts sur le marché ? Si c'est vous qui fabriquerez ces produits, décrivez brièvement le procédé de fabrication et spécifiez tous les avantages techniques qui en découlent par rapport à vos concurrents. Quels types de garantie offrirez-vous à vos clients ?

- *Vue d'ensemble du secteur d'activité.* Fournissez toutes les informations pertinentes sur le secteur d'activité dans lequel vous œuvrez : sa taille, ses segments de marché, un portrait de sa clientèle, une description des autres types d'entreprise qui le composent, ses tendances actuelles et votre vision de ses perspectives d'avenir.
- *Stratégies de marketing.* Qui sont vos concurrents ? Quelles sont leurs forces et leurs faiblesses ? Comment pouvez-vous les égaler ou les dépasser en ce qui concerne les prix, la livraison, le suivi et le soutien ? Que feront vos concurrents lors de votre entrée sur le marché ? Le marché est-il assez grand pour vous tous ? Pourquoi les clients voudront-ils s'intéresser à vos produits ? Comment pensez-vous les attirer ? Quels prix demanderez-vous pour vos produits et services ? Ces prix sont-ils concurrentiels ?

  Vous avez peut-être le privilège enviable d'être le seul à vendre un certain produit ou service. Qu'arrivera-t-il si un entrepreneur audacieux vient vous faire concurrence ? Comment vous préparerez-vous afin de répondre à ce défi pour la première fois ?
- *Dotation en personnel.* Même si vous n'avez pas d'employé et ne prévoyez pas en engager dans un avenir prochain, vous pouvez parler dans cette section de votre équipe : banquier, conseiller juridique, comptable, agent d'assurances, conseillers en marketing. Quelle est la valeur de leurs services ? Il vous faut des collaborateurs qui sont capables de faire ce que vous ne pouvez pas, ou qui le font mieux que vous, et qui savent travailler sans avoir constamment besoin d'être dirigés. Réfléchissez aussi aux avantages qui découlent de la collaboration de ces professionnels rémunérés.

  Même les entrepreneurs qui ne veulent pas embaucher de personnel au départ doivent penser à l'avenir. Demandez-vous alors si vous aurez éventuellement besoin d'employés à temps plein ou à temps partiel. De plus, devrez-vous engager des consultants ou des travailleurs à forfait de temps à autre ? De nombreux entrepreneurs oublient d'inclure leurs conseillers en marketing comme l'une des plus importantes composantes de leur entreprise. Si vous savez déjà que vous embaucherez éventuellement du personnel, incluez de brèves descriptions des emplois à combler et le type de rémunération offerte à chaque employé (à l'heure, à commission, etc.).

- *Règlements.* Avez-vous besoin de demander des licences ou permis spéciaux ? Si vous créez une entreprise importatrice ou exportatrice, assurez-vous de connaître tous les règlements régissant son exploitation. Des questions de brevets, de marques de commerce ou de droit d'auteur sont-elles pertinentes en ce qui concerne votre entreprise ?
- *Occasions et risques.* Cette section ne fait pas partie de tous les plans d'affaires, mais il est préférable d'aborder ce sujet afin de démontrer que vous avez étudié chaque aspect de votre entreprise sous tous les angles possibles, y compris les pires éventualités. Votre entreprise est-elle positionnée pour profiter des nouvelles occasions d'affaires qui pourraient se manifester ? De quels types seraient-elles ? Comment vous préparez-vous en prévision d'un ralentissement économique ? Une catastrophe naturelle ? Une hausse subite des taux d'intérêt ? Une grève ? Même si vous n'avez pas d'employés syndiqués, vos fournisseurs et clients en ont peut-être : une grève chez eux peut alors compromettre les activités de votre entreprise.
- *Démarrage de l'entreprise.* Si vous faites démarrer votre entreprise, exposez les grandes lignes des étapes de son lancement : impliquent-elles des demandes de prêts, la signature d'ententes avec des fournisseurs, la mise en œuvre d'un plan de promotion ? Certaines entreprises (p. ex. : petites usines, entreprises d'import-export, agro-industries) doivent inclure des détails sur leurs locaux : taille et emplacement, évaluation immobilière, avantages de cet emplacement et autres renseignements pertinents.

Vos stratégies de vente sont un élément important du démarrage de votre entreprise. Vendre consiste aussi à fidéliser votre clientèle. Vous avez déjà probablement traité de votre philosophie de vente dans votre énoncé de mission, mais cette section vous donne l'occasion de l'envisager sur le plan pratique. Pensez à vos propres compétences dans le domaine de la vente : savez-vous quand conclure une vente et, encore plus important, savez-vous comment le faire avec succès ? Faut-il plutôt confier cette activité à quelqu'un d'autre ?

- *Plan financier.* Certains modèles de plans d'affaires vous font élaborer une planification financière assez détaillée, comportant entre autres des prévisions de trésorerie, des états des résultats et une prévision du bénéfice net. Ce sont des démarches utiles à effectuer : elles vous serviront lorsque vous serez à la recherche de financement et fourniront des repères sérieux pour mesurer votre entreprise dans les mois suivants. Si vous vous sentez dépassé par la complexité de cette section, consultez votre comptable, CMA ou aide-comptable et complétez-la avec lui. À tout le moins, il vous faut indiquer vos frais de démarrage (rénovation des locaux, loyer, équipement, meubles, véhicules, stocks, impôts, licences et permis, assurances, fournitures) et votre financement (mise de fonds que vous investissez en espèces ou en actifs, prêts, marges de crédit et subventions) ainsi que le besoin éventuel de lettres de crédit ou de lettres de garantie.

Une telle démarche vous aidera à déterminer vos principales charges, celles que vous pouvez contrôler et celles que vous ne pouvez pas. Fixez autant de coûts que possible : par exemple, des charges récurrentes comme le loyer. Quand vous aurez dressé la liste de vos charges, effectuez des vérifications dans les semaines et mois suivants pour vous assurer qu'elles ne changent pas. Avec autant de charges bien déterminées, il vous est possible de calculer le seuil de rentabilité de chaque coût. Ainsi, si une charge dépasse une certaine limite, elle constituera un signal d'alarme vous avertissant que vous perdez peut-être de l'argent. Si vos coûts fixes sont trop élevés, vous devez trouver un moyen d'augmenter vos revenus. Il ne s'agit que de l'un des « scénarios » que renferme votre plan d'affaires.

Cette section financière représente un volet très important de la «carte routière» illustrant le parcours de votre entreprise, car elle vous indique si vous êtes encore sur l'autoroute, si vous avez dévié sur des routes secondaires ou même, si vous vous êtes égaré en pleine brousse. Et elle vous montrera aussi si votre position est meilleure que celle visée au départ.

- *Références.* Fournissez le nom et le numéro de téléphone de votre banquier, de votre comptable, de votre conseiller juridique, de votre agent d'assurances et de vos conseillers en marketing.
- *Sommaire.* Cette étape, qu'il vaut mieux rédiger en dernier, est celle que la plupart des gens liront en premier. Ce texte doit être court (idéalement une seule page, ou au maximum, deux pages), enthousiaste, réaliste et informatif. Il vous présente, vous et votre entreprise, expose les grandes lignes du plan d'affaires (vos principaux objectifs, les possibilités de marketing, l'échéancier proposé pour le démarrage de votre entreprise, etc.) et incite le lecteur à mieux connaître votre entreprise. Il faut absolument y inclure certains détails : entre autres, le nom, l'adresse et le numéro de téléphone de votre entreprise, vos nom, adresse et numéro de téléphone (s'ils diffèrent de ceux de l'entreprise) ainsi que les adresses de courrier électronique.
- *Plans d'urgence.* Énoncez les plans d'urgence que vous avez conçus au cas où vous seriez malade ou blessé, ou même que vous décéderiez. Vous devez prendre des assurances vie et invalidité, surtout si vous avez une famille. Il arrive qu'une invalidité entraîne de plus grosses difficultés financières qu'un décès, à cause des dépenses médicales qui y sont liées. Beaucoup de grandes entreprises prennent des dispositions pour des éventualités comme le décès de leurs dirigeants. Il n'y a pas de raison de ne pas suivre leur exemple.
- *Présentation du plan.* Il est possible de varier la présentation de votre plan d'affaires selon les personnes à qui vous le montrez. La préparation de ce document à l'ordinateur vous permet de couper et coller des éléments pour créer des versions abrégées de

votre plan ou mettre l'accent sur différentes sections, tout comme un *curriculum vitæ* que vous adaptez aux besoins et aux intérêts du destinataire. Un résumé de la section financière peut être suffisant pour un mentor, mais votre banquier et votre comptable voudront probablement voir aussi les chiffres.

Ce que vous apprend votre plan d'affaires

Pendant la préparation de votre plan d'affaires, vous avez probablement commencé à interpréter et à analyser les renseignements que vous avez rassemblés. Une fois ce document achevé, relisez-le attentivement : vous y découvrirez sûrement des surprises puisque vous le considérerez alors dans son ensemble.

Si votre entreprise est en démarrage et qu'il s'agit de votre premier plan d'affaires, voici quelques-unes des conclusions qui se dégageront peut-être de sa lecture :

- Vous n'avez pas à emprunter autant d'argent que vous le pensiez et vous épargnerez en n'empruntant que les sommes dont vous avez besoin. Des emprunts excessifs peuvent disperser vos efforts pour maintenir vos charges à leur plus bas niveau. Ils peuvent aussi vous faire croire à tort que votre entreprise obtient de meilleurs résultats qu'elle ne le fait en réalité.
- Vous n'avez pas assez de fournisseurs : si l'un d'eux abandonnait ce marché, vous éprouveriez peut-être de graves difficultés.
- Vous n'aimez pas certains aspects de votre entreprise (l'administration, par exemple), mais il n'y a personne pour s'en charger à votre place.
- Vous avez plus, ou moins, de concurrents que vous ne le pensiez.
- Vous avez plus à offrir que vos concurrents et vous pouvez demander plus pour vos services.

Dans le cas d'une entreprise établie, vous ferez peut-être les constatations suivantes :

- C'est le moment de changer la structure de propriété de l'entreprise.
- Même si votre clientèle est en croissance, vous perdez des clients de longue date : il coûte plus cher d'attirer et de gagner de nouveaux clients que de servir ceux qu'on a déjà. Cette constatation signale qu'il y a peut-être un problème.
- Vous avez de nouveaux concurrents.
- Il existe des possibilités pour votre entreprise de prendre de l'expansion au-delà de son marché actuel.
- Il est temps que votre entreprise fasse du commerce en ligne afin d'agrandir sa clientèle en prospectant de nouveaux marchés.
- Vos charges ont augmenté au cours des cinq dernières années, mais vos prix ne reflètent pas ce changement : votre entreprise n'est donc plus aussi profitable qu'auparavant.
- Le niveau de vos stocks est trop élevé.

Bien sûr, chaque propriétaire trouve des informations différentes, cherche ses propres possibilités d'affaires et détecte divers signaux d'avertissement ou d'alarme. Vous découvrirez peut-être que votre entreprise a besoin de changements, ou que, au contraire, elle se porte mieux que vous ne le croyiez. Quoi qu'il en soit, tous les entrepreneurs ont intérêt à revoir leur plan d'affaires, à le réviser et à le mettre à jour régulièrement. En outre, si votre entreprise est en croissance rapide, vous devez le faire plus souvent, car c'est l'instrument idéal pour guider votre réflexion sur les activités de votre entreprise.

CHAPITRE 5

Une équipe gagnante

Pour réussir en affaires, il faut vous entourer de gagneurs. Même si les personnes qui lancent des entreprises ont en général l'esprit d'indépendance, elles se rendent vite compte qu'elles ne peuvent tout faire elles-mêmes. En effet, les entrepreneurs ayant l'habileté et la capacité de s'acquitter de toutes les tâches concernant leur entreprise sont rarissimes. Faire appel à des gens compétents dans les domaines qui vous laissent perplexes ou vous ennuient tout simplement est donc souhaitable. Certaines de ces personnes feront partie de votre équipe pour la durée de vie de votre entreprise, alors que d'autres ne feront que des interventions ponctuelles.

> *Les plus gros obstacles que j'ai rencontrés ont été placés sur mon chemin par mes propres peurs. Pour moi, jeune femme de 26 ans dont les seuls actifs étaient cinq emplois à temps partiel et la vieille voiture de mon père, il a été très difficile de trouver du financement. J'ai appris à questionner tout le monde : comptables, banquiers, avocats. Si leurs réponses ne me satisfaisaient pas, je me tournais vers d'autres professionnels dont les réponses étaient plus logiques. Évidemment, j'ai dû avoir confiance en moi et dire « non » à beaucoup de gens.*
>
> – Julie Anderson, Your Dollars Store with More, Blairmore (Alberta)

Qui sont les futurs membres de votre équipe ? Au premier chapitre, j'ai mentionné les professions parmi lesquelles vous les choisirez : banquier, avocat, notaire, comptable, aide-comptable, conseiller en marketing et planificateur financier. Beaucoup d'entreprises ne font appel qu'à ces professionnels. Ceux que vous engagez doivent pouvoir comprendre vos rêves et vos objectifs. La communication ne peut être à sens unique : vous les écoutez et ils doivent quant à eux vous prêter une oreille attentive. Discutez avec eux de l'historique de votre entreprise, de l'endroit où elle est implantée, du profil de votre clientèle et des détails de votre secteur d'activité. Parlez-leur de vos fournisseurs, car ceux-ci font aussi partie du réseau que vous mettez en place. Enfin, faites-leur un portrait de vos clients : sans eux, votre entreprise perd sa raison d'être.

Pour trouver ou remplacer un avocat, un comptable ou un aide-comptable, demandez l'aide d'autres propriétaires de petites entreprises, de votre banquier, de vos amis et des membres de votre famille. En peu de temps, vous pourrez constituer ainsi un excellent réseau de relations. Je suis toujours impressionnée par l'efficacité des petits entrepreneurs dans ce domaine !

Consultez aussi les associations et ordres professionnels, qui vous référeront aux spécialistes œuvrant dans votre région. Vous pouvez trouver des listes d'associations dans des annuaires à la bibliothèque municipale ou par une recherche dans Internet. Dès la première rencontre avec un professionnel, demandez-lui quels sont ses honoraires, définissez les services dont vous avez besoin et vérifiez son type d'expertise.

Les banquiers

Comme je l'ai déjà mentionné, tout le monde a besoin d'une banque, ne serait-ce que pour y faire des dépôts et des retraits d'argent. Les banques offrent aussi un autre service très pratique : elles fournissent un relevé de toutes les transactions financières que vous effectuez par leur intermédiaire. Ce relevé constitue un registre de vos recettes et de vos charges semblable à vos relevés de comptes de vos cartes de crédit.

Environ la moitié des petites entreprises empruntent de l'argent aux banques sous diverses formes : prêts d'affaires conventionnels, cartes de crédit, hypothèques de deuxième rang, etc. (voir le chapitre 3). Même si, comme beaucoup d'autres propriétaires de petites entreprises, vous ne présentez jamais de demandes de prêts, envisagez vos rapports avec votre banquier en tant que relation à long terme mutuellement satisfaisante. Tel qu'expliqué au chapitre précédent, votre banquier peut, en plus de vous prêter de l'argent, vous rendre beaucoup d'autres services utiles.

La plupart des propriétaires de petites entreprises recourent aux services d'une banque pour mener leurs affaires. Ils apprécient le fait qu'il y a quelqu'un avec qui ils peuvent développer une relation durable.

La possibilité d'effectuer des opérations bancaires par Internet ou par téléphone fait gagner beaucoup de temps. Lorsque vous êtes à la recherche de la banque et du banquier idéals, visitez le site Web de chacune des institutions bancaires pour connaître la gamme de ses services. Cette démarche vous fournira une bonne base en vue de la discussion de vos besoins avec un banquier.

Évidemment, la confidentialité est cruciale et mène naturellement à la confiance. Je ne peux que le répéter : votre banquier peut vous faire profiter de ses expériences avec les autres petites entreprises, mais ses conseils doivent être généraux afin de ne pas trahir quelque secret « commercial », y compris les vôtres.

Les avocats et les notaires

Votre prochaine étape est peut-être de trouver un avocat ou un notaire. Votre but est la gestion d'une entreprise : il vous faut donc, si possible, travailler avec un professionnel possédant une solide expertise concernant les petites entreprises. Le sympathique notaire de votre quartier qui a rédigé votre testament n'est peut-être pas la personne idéale dans ce cas-ci. Utilisez les mêmes critères que dans votre démarche pour trouver un banquier : assurez-vous que votre avocat est passionné des petites entreprises et qu'il peut vous communiquer des informations à jour pertinentes.

Voici certaines démarches pour lesquelles votre conseiller juridique peut vous être utile :

- rédiger la documentation requise pour votre entreprise,
- vous informer des règlements de zonage et des autres restrictions légales en vigueur dans votre municipalité,
- rédiger les contrats avec les propriétaires d'immeuble, les fournisseurs, les clients et autres gens avec qui vous faites affaire,
- effectuer les recherches et les demandes de brevets,
- vous indiquer les domaines éventuels de responsabilité.

Les comptables

Les comptables s'occupent de la tenue des comptes de votre entreprise et des autres questions financières s'y rapportant. J'ai déjà parlé des comptables dans les autres chapitres, plus particulièrement au sujet du plan d'affaires : il faut maintenant spécifier en quoi leurs services diffèrent de ceux des aides-comptables. Les grands cabinets de services comptables offrent aussi souvent des services de tenue des livres, mais si votre comptabilité est assez simple, vous n'avez probablement pas besoin d'un spécialiste.

Voici certaines des tâches que votre comptable peut réaliser avec vous :

- élaborer votre plan d'affaires (voir le chapitre 4),
- mettre en place un système pour consigner les recettes et les charges,
- vous conseiller sur les questions financières, entre autres la fiscalité (p. ex. : quelles sont les incidences fiscales de la structure légale d'entreprise proposée par votre avocat ou notaire ?)
- choisir la structure d'entreprise appropriée,
- préparer vos états financiers et vous les expliquer,
- remplir vos déclarations de revenus et les autres rapports exigés par les gouvernements.

Il existe trois types de comptables:

- *Comptables agréés (CA).* Ils se spécialisent en fiscalité, élaborent des rapports financiers pour des utilisateurs externes (p. ex.: banquiers, investisseurs), préparent des prévisions financières et se chargent de la vérification externe. Ils s'occupent aussi parfois de questions s'étendant au-delà des limites de la finance.
- *Comptables en management accrédités (CMA).* Ils se spécialisent dans l'élaboration de l'information interne sur les coûts de vos produits et services, renseignements qui vous aideront dans votre processus décisionnel. Ils peuvent s'occuper de nombreuses tâches: suivre et analyser tous les aspects de votre entreprise, y compris la planification, les ventes et le marketing, les ressources humaines, les finances, etc.
- *Comptables généraux accrédités (CGA).* Ils se spécialisent en comptabilité générale, en vérification externe et en fiscalité pour les petites entreprises.

Les comptables ne s'occupent donc pas que de la tenue de comptabilité: ils peuvent participer à tous les aspects de votre entreprise. Si vous êtes seulement à la recherche de quelqu'un pour tenir les comptes et journaux de votre entreprise, il serait donc préférable, et moins cher aussi, de vous adresser à un aide-comptable (voir ci-dessous).

Votre comptable peut vous aider à trouver des façons de dégager des fonds pour votre entreprise par l'amélioration de la gestion de vos stocks. Par exemple, il peut découvrir au fond de votre entrepôt des marchandises oubliées dont il vaudrait mieux vous débarrasser, libérant ainsi de l'espace pour d'autres qui se vendent mieux et vous rapportent plus d'argent. Bien sûr, vous pourriez aussi les dénicher vous-même... si vous aviez le temps de le faire!

Les aides-comptables

Le fait qu'une petite entreprise engage un aide-comptable à temps partiel est un excellent exemple de collaboration entre deux petites entreprises. Les grandes compagnies emploient leurs propres aides-comptables, mais tout comme vous, beaucoup d'entre eux sont des travailleurs autonomes offrant leurs services à ceux qui n'ont pas besoin d'un aide-comptable à temps plein.

Voici certaines tâches dont peut se charger votre aide-comptable :

- préparer, vérifier vos comptes et en faire la balance,
- tenir le livre de vos transactions courantes (sur ordinateur la plupart du temps),
- faire les entrées du grand livre et s'assurer qu'elles balancent,
- préparer des états financiers provisoires pour votre comptable afin d'épargner temps et argent,
- préparer divers rapports statistiques, financiers et comptables,
- recouvrer vos comptes clients. De nombreux propriétaires de petites entreprises préfèrent déléguer cette tâche afin de se consacrer à l'établissement de bonnes relations avec la clientèle, sans le désagrément d'avoir à réclamer des sommes dues.

Si vous croyez pouvoir tenir vous-même votre comptabilité, achetez un logiciel de comptabilité et amusez-vous. **Avantage :** Vous connaîtrez la gestion de votre entreprise dans tous ses détails. **Inconvénient :** vous pourriez occuper votre temps de façon plus avantageuse.

Les agents d'assurance

En tant que propriétaire de petite entreprise, le choix d'un agent d'assurance devrait faire partie de la planification financière de votre entreprise et de votre vie privée. Cela relève de la planification d'urgence. Encore une fois, pour trouver un agent fiable et compétent, consultez d'autres propriétaires de petites entreprises ou votre banquier. Discutez avec cet agent des différents types de couverture dont vous avez besoin.

Voici quelques-unes des couvertures les plus courantes pour les petites entreprises :

- *Responsabilité civile* : vous protégera contre les réclamations faites par quiconque subit des blessures dans vos locaux.
- *Incendie* : vous permettra de faire reconstruire ou réparer vos locaux et de remplacer l'équipement et les stocks détruits ou endommagés.
- *Automobile* : couvrira votre voiture lorsqu'elle est utilisée pour vos affaires.
- *Invalidité* : vous fournira un revenu si vous devez arrêter de travailler à cause d'une maladie ou d'une blessure.
- *Vie* : versera une somme d'argent à vos bénéficiaires si vous décédez.
- *Pertes d'exploitation* : vous indemnisera pour les revenus perdus si l'exploitation de votre entreprise est interrompue à la suite d'une catastrophe naturelle (inondation, incendie, tornade, tempête de pluie verglaçante, etc.).
- *Vols et détournements* : vous remboursera les pertes entraînées par un vol ou la malhonnêteté de vos employés.
- *Responsabilité de produits* : vous protégera des poursuites si vos produits causent des torts à des clients.
- *Assurance caution* : assurera que l'autre partie au contrat respecte ses engagements ou encore, vous protège contre le comportement fautif d'un employé.
- *Assurance créances* : remboursera le solde de vos prêts si vous décédez.

Les fournisseurs

Vos fournisseurs constituent une des pierres angulaires du succès de votre entreprise. Vous avez en effet besoin de sources fiables pour les matières nécessaires à la production des produits et services que vous vendez. *Tous* vos fournisseurs doivent donc être sérieux et dignes de confiance.

Il est probable que l'entreprise que vous lancez œuvre dans un secteur d'activité qui vous est familier : il ne vous sera donc pas difficile de trouver des fournisseurs. Mais maintenant qu'il s'agit de votre propre entreprise, cela vaut la peine d'évaluer les concurrents des fournisseurs que vous connaissez déjà. Vous hésiterez peut-être entre la fiabilité et les prix plus élevés de ceux-ci et les plus bas prix de fournisseurs qui vous sont toutefois étrangers. Vous seul pouvez décider des divers éléments à prendre en compte pour arriver aux bons choix.

Vous devrez évidemment entretenir un réseau de relations qui ne se limitent pas à celles décrites ci-dessus : par exemple, vos clients (voir le chapitre 6), votre personnel de bureau et d'entrepôt (voir le chapitre 7) et les personnes travaillant pour vous à forfait (concepteurs de site Web, représentants, conseillers en marketing, publicitaires et consultants). Toutes ces personnes sont importantes et se joindront probablement à votre équipe de professionnels déjà en place (banquier, avocat, comptable, etc.). Le profil qui devrait déterminer le choix d'un membre de votre équipe est le suivant : une personne intègre et dynamique, dont la personnalité s'harmonise à la vôtre et qui s'intéresse à ce que vous tentez d'accomplir.

Le marketing

L'aspect marketing est tout aussi déterminant que les autres pour votre entreprise, et pourtant il est souvent négligé. Cela s'explique probablement par le fait que la plupart des gens n'en comprennent pas la signification réelle. Les dictionnaires définissent le marketing comme étant l'ensemble des actions ayant pour objet d'analyser le marché d'un bien ou d'un service et de mettre en œuvre les moyens permettant de satisfaire, stimuler ou susciter la demande grâce, entre autres, à des études de marché et à la publicité. En bref, il a trait à l'acheminement des produits et services, des producteurs jusqu'aux consommateurs. Or, la plupart des entreprises restreignent cette définition pour ne désigner que la promotion et la publicité, ainsi que la distribution et la vente de leurs produits. Mais si vous engagez une agence de marketing pour votre entreprise, votre conception du marketing se transformera peut-être.

Voici quelques-uns des éléments sur lesquels un consultant en marketing peut vous conseiller:

- l'emballage et l'empaquetage de vos produits,
- les types de points de vente appropriés à vos produits,
- le prix de vos produits,
- le type de service que vous fournirez,
- la recherche de votre marché cible,
- la façon d'atteindre vos clients par la publicité (promotion de vos produits),
- les méthodes pour étudier votre concurrence,
- la pertinence des sondages et des groupes de discussion pour vos produits ou services,
- les stratégies pour faire face aux changements sociaux causés par l'évolution des caractéristiques démographiques, des goûts, des valeurs, etc. pouvant avoir un impact sur la vente de vos produits ou services.

Ayez toujours en tête les quatre «P» du marketing réussi:
le bon Produit,
au bon Prix,
à la bonne Place,
avec la bonne Promotion.
Et n'oubliez surtout pas la principale préoccupation du consommateur: «Que me donne ce produit?» Envisagez la situation du point de vue de vos clients et mettez l'accent sur les avantages qu'ils retireront de vos produits ou services.

Certains petits entrepreneurs adorent mettre en évidence l'image publique de leur entreprise, tirer profit de la publicité gratuite et même créer des occasions d'en obtenir. Mais d'autres sont moins à l'aise d'évoluer dans ce domaine. Heureusement, de petites entreprises, semblables à la vôtre, peuvent s'en charger à votre place et vous aider à élaborer un bon plan de marketing. La clé du succès pour toute entreprise réside dans la compréhension de sa clientèle, de son marché cible et des occasions d'affaires, qu'elles soient locales ou internationales. Vous avez peut-être besoin de quelqu'un qui vous aidera à voir la meilleure façon d'atteindre ce marché et d'y mener vos affaires. Les conseillers en marketing savent comment y arriver plus vite et plus efficacement que la plupart des entrepreneurs. Et même si vous avez de l'expérience dans ce domaine, songez à une collaboration avec un de ces experts. Vous serez étonné de constater les nouvelles perspectives que cela peut vous laisser entrevoir.

Vous trouverez de bonnes idées pour la promotion de votre entreprise sur le site www.rcsec.org/alpe/promo.html

En tant qu'entrepreneur, vous devez trouver des experts qui s'intéressent à votre projet ainsi qu'à vos objectifs personnels et commerciaux, et qui désirent réellement vous aider à atteindre vos buts selon vos exigences. Tout comme Julie Anderson, citée au début de ce chapitre, apprenez à dire non à ceux qui ne vous offrent pas tout le soutien qui vous est nécessaire. Cela ne signifie pas que vous cherchiez des pantins pour vous assister; il vous faut plutôt des personnes qui respectent vos idées et qui peuvent contribuer à votre entreprise grâce à leur expertise. Puisque vous savez très bien ce que vous voulez accomplir, poursuivez votre recherche jusqu'à ce que vous trouviez des partenaires dotés de l'attitude convenant à votre entreprise et à vos aspirations personnelles.

CHAPITRE 6

La gestion de votre entreprise

Vous avez constitué votre équipe et vous êtes occupé de vos finances, de la question des clients et des fournisseurs. Vous avez préparé votre plan d'affaires, et de plus, les rentrées et les sorties de fonds de votre entreprise sont satisfaisantes. Enfin, vos clients sont contents et votre clientèle est en croissance. La vie est belle ! Vous disposez donc d'un peu de temps pour chercher des façons d'épargner de l'argent et de rendre votre entreprise plus performante. Vous devez également vous demander si c'est le moment d'augmenter davantage votre clientèle ou d'embaucher des employés à temps partiel ou à temps plein. Il se peut aussi que ce soit le temps pour vous de vous occuper d'une autre entreprise ou de prendre votre retraite. Je parle de l'embauche du personnel au chapitre 7 ; je discute des questions liées à la retraite, au ralentissement de vos activités et à la vente de votre entreprise au chapitre 11. Pour le moment, concentrons-nous sur les façons particulières de gérer votre entreprise, quelle que soit sa nature et son secteur d'activité.

Votre clientèle

Toutes les entreprises ont besoin de clients, ces gens qui veulent bien acheter ce que vous leur vendez. Vous connaissez probablement déjà votre clientèle cible, à tout le moins de façon générale. Dans certains cas assez rares (pour tout nouveau produit ou idée, par exemple), vous devez recourir à une étude de marché pour identifier vos clients éventuels et à des techniques marketing pour les atteindre.

Quand vous avez une clientèle établie, ne la tenez pas pour acquise et envisagez-la sous tous ses aspects. Qui sont vos clients? Comment les avez-vous attirés? Comment arrivez-vous à les garder? Quel est le petit quelque chose que vous offrez qui les incite à revenir? Pouvez-vous faire mieux? Il est moins coûteux de conserver vos clients actuels que d'en attirer de nouveaux. Réfléchissez aux manières d'améliorer la relation avec vos clients pour traiter encore plus d'affaires avec eux. Lorsque vous examinez votre liste de clients, voyez-vous des occasions de vendre plus de produits ou services, d'augmenter votre efficacité et de maximiser le temps que vous passez avec eux?

Élaborez une «promesse de service» qui met en valeur la clientèle. De plus, définissez comment vos clients bénéficient de vos produits ou services et évoquez cet atout dans vos discussions.

Quand ils prennent la décision d'acheter, les clients recherchent cinq avantages fondamentaux. Ce que vous leur vendez devrait:

- leur faire gagner du temps: peut-être est-ce le produit qui leur fait gagner du temps ou encore est-ce le service fourni par votre entreprise qui les rend plus efficaces dans leur emploi du temps,
- leur faire économiser de l'argent: vos produits ou services peuvent être moins chers que ceux de vos concurrents ou encore, ils permettent à vos clients de consacrer plus de leur temps à autre chose,
- leur fournir des produits ou services de qualité supérieure,
- leur offrir la tranquillité d'esprit: votre entreprise respecte ses engagements et donne un excellent service,
- leur donner une grande satisfaction: certains clients achètent des produits et services pour le prestige et la reconnaissance qu'ils procurent.

Il est très important de bien connaître votre clientèle. Par exemple, si une cliente venue acheter un lecteur de disques compacts dans votre magasin recherche la facilité d'utilisation, il vaut mieux ne pas lui sortir le mode d'emploi pour qu'elle le lise. Ses désirs sont simples: elle veut pouvoir tamiser l'éclairage, baisser le volume et, en appuyant sur un bouton, être la vedette de la fête. Votre prochain client, par contre, est peut-être en quête d'un lecteur de qualité supérieure et prêt à en payer le prix: montrez-lui donc les caractéristiques qui en font un produit haut de gamme.

Posez des questions à vos clients pour découvrir leurs besoins. Conversez avec eux comme vous le faites avec les membres de votre équipe. Plus votre connaissance de votre clientèle s'affine et mieux vous pouvez adapter votre discours à différentes situations, tel qu'illustré par l'exemple du lecteur de disques ci-dessus.

La détermination des besoins de votre clientèle a encore plus d'importance que ce que leur procurent vos produits; cet aspect se manifeste plus tard. Si vous croyez que votre client recherche la vitesse alors que c'est réellement la flexibilité qui l'intéresse, vous n'êtes pas dans le coup. Mais en écoutant votre client, vous découvrez que la flexibilité est importante pour lui, et c'est ce que vous lui proposez: la vitesse devient alors une valeur ajoutée pour votre client, mais non l'attrait principal.

Concentrez-vous sur votre message de base, celui qui compte pour vos clients, et ne poussez pas trop. En ce qui concerne la clientèle, il y a trois mots d'ordre: écoutez, écoutez, écoutez.

Vous êtes doté de deux oreilles et d'une seule bouche, non sans raison: dans la vente, vous devez écouter deux fois plus que vous ne parlez!

La vente est l'un des aspects du processus de maintien des relations avec vos clients. L'une des étapes les plus difficiles est la conclusion de la vente, même lorsque votre client semble prêt à acheter. Apprenez à tendre l'oreille pour saisir les occasions de vente. Maîtrisez l'art de déceler le moment propice de dire «C'est ce qui vous convient?», «Je commence à compléter les documents?» ou «Désirez-vous cela par écrit?» Les talents de vendeur ne sont pas innés pour tout le monde, mais la plupart des gens peuvent les acquérir. D'autres trouveront plus simple de déléguer cette fonction plutôt que de s'en charger eux-mêmes. Pour développer vos talents dans ce domaine, suivez un cours ou lisez sur le sujet, mais assurez-vous de pouvoir bien «vendre» votre entreprise.

Lorsque vos clients sont satisfaits, déployez tous vos efforts pour les garder ainsi. Développez au maximum les possibilités que vous offrent vos clients actuels : il est plus efficace de conserver ses clients que d'en trouver de nouveaux, qu'il vous faudra aussi apprendre à connaître. Assurez-vous que chaque client obtient tout ce que peut lui fournir votre entreprise. Ne laissez passer aucune chance d'offrir un service accru à votre clientèle. Par exemple, mon coiffeur a eu une idée qui m'a impressionnée : au moment où je quitte son salon, il me propose de prendre mon prochain rendez-vous tout de suite. C'est très pratique pour moi, et cela lui garantit qu'il me reverra dans trois semaines plutôt que dans quatre ou cinq, quand je finirai par penser à l'appeler. Sa stratégie me facilite la vie de façon subtile et intelligente et ne me donne pas l'impression qu'il insiste. En maximisant le volume des affaires déjà dans votre «cour», vous pouvez presque doubler votre chiffre d'affaires avec vos clients actuels.

Lorsque vous recrutez un nouveau client, présumez qu'il le sera pour toute l'existence de votre entreprise, puis déployez tous vos efforts afin de réaliser ce but ! Cherchez à mieux le connaître et définissez les paramètres de votre relation d'affaires. Une bonne communication entre vous est fondamentale : énoncez clairement vos besoins, mais aussi ce que vous pouvez offrir. Et puisque vous devez assurer une saine gestion de votre entreprise, vérifiez que ce nouveau client a les capacités de payer les biens ou services que vous lui fournissez. Cela est particulièrement important si vous lui consentez des modalités de crédit. La plupart des banques peuvent vous remettre un rapport de solvabilité sur un client (voir le chapitre 3) à un coût minime : il vous apprend si la cote de crédit de ce client est satisfaisante, mais guère plus. Vous pouvez aussi demander des renseignements sur d'autres entreprises par l'intermédiaire du Bureau d'éthique commerciale ou d'Equifax.

Votre trésorerie

Que signifie exactement la notion de trésorerie? Cette expression désigne les fonds dont vous avez besoin pour assurer la gestion de vos affaires jour après jour. Une bonne gestion de votre trésorerie est essentielle pour la survie de votre entreprise. En effet, l'une des principales causes des faillites d'entreprises est une mauvaise gestion de la trésorerie. Votre entreprise peut survivre sans faire de bénéfices, mais elle ne peut exister sans argent.

> **La trésorerie constitue l'argent dont vous disposez pour la gestion courante de votre entreprise.**

Des bons chiffres de ventes peuvent vous faire croire à tort que votre entreprise se porte très bien. Vos ventes montent peut-être en flèche, mais si vos clients ne vous règlent qu'à 60 ou 90 jours, ou même à 120, vous avez peut-être de la difficulté à payer vos factures qui sont dues à des échéances de 30 ou 60 jours. Cela illustre de façon tangible le type de problèmes de trésorerie que peuvent éprouver les entreprises. Tout semble bien aller jusqu'au moment de vérité: vous n'avez pas assez d'argent pour régler toutes vos factures. Si ce genre de situation se produit, vous devez procéder à certains ajustements pour améliorer vos pratiques commerciales.

Voici quelques suggestions:

- *Inventoriez vos stocks.* La valeur du système de stockage juste à temps ne peut être ignorée. Plus votre entreprise accumule de stocks et plus vous y consacrez de fonds. Des stocks qui ne s'écoulent pas assez rapidement entraînent des coûts pour vous, surtout si vous avez emprunté pour financer leur achat. Passez donc régulièrement en revue vos stocks et déterminez si certains d'entre eux traînent depuis trop longtemps dans votre entrepôt. Si c'est le cas, demandez-vous s'il vaut mieux les vendre à prix réduit plutôt que de continuer à les stocker pour une période indéfinie. Inutile de croire que ces produits «redeviendront à la mode»: en général, les objets devenus obsolètes le restent pour de bon. Pour une gestion optimale de vos stocks, obtenez de vos fournisseurs des modalités de paiement correspondant à la durée que vous estimez nécessaire pour vous permettre de recevoir et de vendre vos produits finis. Vous apprécierez le fait de recevoir les paiements de vos clients pour des stocks que vous n'avez pour votre part pas encore réglés à vos fournisseurs.

- *Analysez vos habitudes de commandes*, qui sont en lien direct avec la gestion de vos stocks. Le fait de passer vos commandes juste à temps vous évite des dépenses importantes pour de grosses commandes, surtout si vos fournisseurs vous garantissent une livraison en moins d'une semaine. Si vous ne gardez que les stocks dont vous avez besoin dans l'immédiat, vous disposerez de plus d'argent pour payer les charges d'exploitation. Vous ne devriez envisager de grosses commandes que si vous avez beaucoup de liquidités ou si vous obtenez ainsi un rabais substantiel. S'il vous faut emprunter pour financer un tel achat, faites d'abord vos calculs pour vérifier s'il est justifié : le montant versé en intérêts sur l'emprunt sera-t-il plus ou moins élevé que l'escompte que vous obtiendrez ?
- *Scrutez vos comptes clients* pour vérifier que vos clients vous règlent leurs factures à temps. C'est un principe évident de la gestion d'entreprise, mais il est souvent très difficile à appliquer. Une fois la vente conclue, la lune de miel est terminée : vous devez maintenant obtenir le paiement de votre client. S'il est impossible de vendre au comptant, vous établirez peut-être des modalités de paiement avec ce client. Bravo, vous devenez ainsi une banque pour lui ! En fait, chaque fois que l'un de vos clients achète à crédit des biens ou des services de votre entreprise, vous lui prêtez de l'argent.
- *Étudiez les modalités de paiement de vos comptes fournisseurs.* Pouvez-vous reporter les dates d'échéance de vos paiements ? Plutôt que de les régler à 30 ou 60 jours, vous pouvez peut-être convaincre vos fournisseurs d'accepter un règlement à 60 ou

90 jours. Chaque fois que vous obtenez des échéances plus longues, vous améliorez la gestion de votre trésorerie.

Si les fluctuations de la trésorerie de votre entreprise sont trop importantes pour que vous puissiez y faire face avec les solutions simples décrites ci-dessus, vous devriez peut-être discuter avec votre banquier d'une marge de crédit d'exploitation. Celle-ci couvrira d'importantes dépenses le temps que vous receviez les paiements que vous attendez : vous avez ainsi assez d'argent disponible pour maintenir des liquidités suffisantes (voir le chapitre 3).

Pour améliorer votre trésorerie, recouvrez ce que l'on vous doit dès que possible et payez ce que vous devez à la date d'échéance.

La planification de votre trésorerie

Comme la trésorerie représente un élément fondamental de la gestion de votre entreprise, vous devez apprendre à la planifier pour mieux la gérer.

Sachez à l'avance quand vous aurez besoin d'argent :

- pouvez-vous prévoir les moments où cela se produira ?
- certaines fournitures sont-elle toujours nécessaires à des moments précis ?

S'il n'est pas possible de prévoir avec précision les besoins d'argent de votre entreprise, gardez toujours des réserves de fonds pour parer aux imprévus. Mais si vous arrivez à déterminer les cycles de votre entreprise, vous pourrez prévoir les moments où vous devez augmenter votre vigilance pour encaisser les comptes clients à temps.

Élaborez un plan d'action vous permettant d'avoir accès à des fonds provenant d'autres sources en cas de besoin. Cela est spécialement important si vos flux de trésorerie sont imprévisibles. Sachez où vous pouvez obtenir du financement à court terme : vos cartes de crédit, votre marge de crédit, vos épargnes personnelles ? Peut-être l'un de vos fournisseurs acceptera-t-il de vous donner un mois de

LA GESTION DE LA TRÉSORERIE

DÉFINISSEZ À L'AVANCE LES ATTENTES. Assurez-vous que vos clients et vous-même comprenez bien les règles de votre entente. Quand attendez-vous leur paiement? Leur enverrez-vous une facture?

TENEZ VOS DOSSIERS À JOUR. Chaque fois que vous faites crédit à un client, consignez dans un registre la date de la facture et la date de son échéance. J'ai déjà demandé à des entrepreneurs de dresser devant moi la liste de leurs comptes clients, et certains y ont trouvé un compte en souffrance de 5000$ qu'ils avaient complètement oublié. En fait, la longueur de l'attente pour le remboursement d'un compte détermine votre façon de traiter avec le client la prochaine fois. Les bons clients qui vous paient ponctuellement sont très précieux: vous savez que vous pourrez toujours compter sur leurs règlements à temps. Mais plus certains clients vous font attendre, plus il est difficile de recouvrer leurs dettes, et moins vous avez envie de le faire. Qui voudrait en effet d'une relation à long terme avec un client à qui il faut téléphoner chaque semaine pour lui réclamer un paiement?

DÉLÉGUEZ LE TRAVAIL SI VOUS NE POUVEZ LE FAIRE VOUS-MÊME. Le talent pour recouvrer les comptes n'est pas donné à tous. Même certains employés de la banque détestent appeler leurs clients pour réclamer des paiements en retard. Mais vous êtes en droit d'attendre un règlement à temps de vos comptes clients. Si le recouvrement des comptes vous prend trop de temps, engagez quelqu'un qui s'en chargera à votre place.

plus pour le payer. Quand les choses vont bien, faites scrupuleusement vos paiements de cartes de crédit; mais lorsque vous éprouvez des difficultés, tenez vos créanciers au courant de la situation.

Selon le degré de la nécessité de gérer votre trésorerie, vous pouvez réaliser des projections de flux de trésorerie mensuelles, ou même hebdomadaires. En effet, la meilleure façon d'éviter le désastre est de garder un œil vigilant sur les rentrées et les sorties de fonds de votre entreprise. Vous êtes ainsi toujours au courant des paiements importants que vous devez effectuer sous peu et savez si vous devez faire en sorte que l'argent rentre pour les couvrir ou négocier d'autres modalités de paiement à court terme. Vous vous arrachez peut-être les cheveux à tenter de satisfaire vos clients, communiquer avec eux, susciter de nouvelles ventes et surveiller votre trésorerie. Si cela devient trop stressant, arrêtez-vous, respirez à fond et devenez votre propre consultant. Repensez à vos plus grands talents : si la gestion des flux de trésorerie n'est pas votre force, pensez sérieusement à obtenir l'aide d'un aide-comptable, ne serait-ce que pour la période critique que vous traversez. Envisagez également l'embauche d'un employé à temps plein qui se chargera de cette tâche ou de tout autre aspect de votre travail. Réfléchissez aussi à l'achat d'un des nombreux logiciels qui peuvent vous donner un coup de pouce pour votre comptabilité et votre planification financière. Recherchez ceux qui faciliteront la gestion de vos comptes clients et de vos comptes fournisseurs et, le cas échéant, la gestion de vos stocks. Même si vous engagez un aide-comptable pour utiliser le logiciel, vous devez examiner régulièrement les rapports et vous en servir comme outil pour la gestion des finances de votre entreprise.

Les avantages du contrôle de la trésorerie. Le contrôle de vos flux de trésorerie et une planification qui tient compte des creux et des sommets, afin de connaître les moments des rentrées et des sorties de fonds, vous donneront de nombreux avantages :

- Au départ, la planification de vos flux de trésorerie vous révèle où va votre argent. Si vous êtes dans la position enviable de posséder un excédent de fonds et avez une bonne vue d'ensemble des futurs flux de votre trésorerie, vous pouvez peut-être utiliser une partie de cet excédent pour développer votre entreprise ou pour l'investir ailleurs. Les deux sont de bons choix !
- Vous pouvez planifier vos besoins de liquidités à court terme. Si

votre entreprise connaît des cycles naturels en dents de scie, cela vous permet de prévoir les moments où vous devez faire des emprunts à court terme et ceux où vous devez les rembourser. Vous devez expliquer aux prêteurs qui vous consentent ces prêts quand et comment vous les rembourserez, ce qui leur donnera confiance pour traiter de nouveau avec vous.

- Lorsque vous décidez d'emprunter à court terme, une bonne connaissance de vos flux de trésorerie vous aide à déterminer quel type de financement vous est nécessaire. Vous pouvez anticiper une urgence si vous savez que janvier, par exemple, est toujours un mois où les affaires sont ralenties ou encore un mois où vous devez effectuer plusieurs paiements : vous pouvez alors vous y préparer. Certains entrepreneurs se servent de leurs cartes de crédit pour couvrir ces dettes à court terme, car elles peuvent constituer un prêt sans intérêt. Presque toutes les cartes de crédit offrent une période de grâce qui permet à votre solde d'être sans intérêt si vous réglez votre compte dans les délais indiqués (en général, de 21 à 26 jours à partir de la date de votre relevé).
- Vous pouvez déterminer quand vous devez procéder à de nouveaux achats et aussi remplacer, réparer ou remettre à neuf les équipements vieillis ou désuets. Pour acheter un équipement qui vous permettra d'exécuter un travail spécialisé pour un client, vous pourriez utiliser un financement correspondant aux rentrées d'argent qui en découleront. Autrement dit, plutôt que de payer l'équipement avec votre marge de crédit, contractez un emprunt remboursable par des paiements mensuels. Ces mensualités seront, en fait, financées par l'augmentation de revenus générés par ce nouvel équipement. Si vous ne croyez pas que cette augmentation sera suffisante pour couvrir ces paiements, vous devriez peut-être y regarder à deux fois avant d'effectuer cet achat.
- Si vous possédez une entreprise saisonnière (p. ex. : une station de ski), vous encaissez de bonnes recettes pendant quelques mois, mais vos charges d'exploitation ne s'arrêtent pas le reste de l'année. Une bonne gestion de vos flux de trésorerie vous permet

de ne pas trop dépenser pendant la haute saison afin de ne pas vous retrouver sans ressources durant la basse saison.

- Quand votre entreprise est en croissance ou si vous avez besoin de financement additionnel, une banque peut vous demander vos projections financières. Si celles-ci sont tenues à jour et bien révisées, vous êtes toujours prêt à répondre à cette demande. De plus, les banques prêtent parfois de l'argent sur la foi des comptes clients, surtout ceux ayant des échéances de 30 ou 60 jours. Quand vous rencontrez votre banquier pour demander un prêt à court terme, apportez la liste de vos comptes clients. Il peut alors considérer votre situation dans son ensemble et vous aider à déterminer si vous avez un manque de liquidités à court terme ou si votre entreprise a besoin d'une solution plus permanente, comme une injection de capitaux ou un prêt à long terme.

La compréhension et la planification de vos flux de trésorerie sont essentielles pour une entreprise en démarrage ou en croissance ; dans le cas d'une entreprise bien établie, elles peuvent également vous aider, que vos affaires soient bonnes ou mauvaises, à revitaliser votre entreprise. N'oubliez pas que l'absence de bénéfices ne tuera pas votre entreprise aussi rapidement qu'une mauvaise gestion de ses flux de trésorerie. Vous pouvez étirer la vie d'une entreprise non rentable aussi longtemps que les flux de trésorerie ne sont pas interrompus. C'est vrai qu'il est difficile de suivre toutes les rentrées et sorties de fonds quand vous devez surveiller en même temps tous les autres aspects de votre entreprise. Mais si vos flux de trésorerie sont mal gérés, vous n'aurez bientôt plus d'entreprise.

La planification de la trésorerie

Comme vous pourrez le constater en remplissant le tableau ci-dessous, l'élaboration de votre état des flux de trésorerie fait un peu penser à la préparation d'un budget et à la balance de votre chéquier tout à la fois.

Toutes les entreprises encaissent des fonds sous diverses formes :

argent comptant, chèques ou crédit. Dans la première partie du tableau (A), il vous faut estimer vos rentrées de fonds et le moment où les paiements par chèque ou par carte de crédit figureront dans votre compte de banque. Dans la deuxième partie (B), vous entrez vos sorties de fonds : les montants et les dates de paiement de vos charges. Cela vous permet de constater dans la troisième partie (A-B) si les rentrées de fonds seront suffisantes et à temps pour couvrir vos remboursements de prêts, votre loyer, les salaires, les honoraires, etc.

La préparation d'un état des flux de trésorerie est relativement facile. Commencez avec une période de six mois, puisqu'il est souvent moins difficile de faire des prévisions pour une période plus courte que pour toute une année. Examinez d'abord vos ventes mensuelles, en vous fondant sur votre expérience ou sur des projections éclairées. Étudiez les comptes clients arrivés à échéance. Si vous êtes en affaires depuis quelque temps, vous pouvez vous servir des chiffres des exercices précédents pour vous guider. Mais si vous faites démarrer une nouvelle entreprise, préparez des projections de mouvements de trésorerie pour déterminer quand et comment vos clients vous paieront, quelles seront vos charges et quel sera le montant nécessaire pour maintenir votre entreprise à flot jusqu'à ce que vos clients commencent à vous payer. Il vaut toujours mieux ne pas faire preuve de trop d'optimisme. Si vous attendez des rentrées de fonds provenant d'autres sources (p. ex. : intérêts de comptes bancaires ou de placements), entrez-les séparément. Additionnez tous vos revenus pour chaque mois : cela vous donne le total des rentrées de fonds.

Ensuite, passez à vos charges. Quels seront vos achats mensuels ? Quelles sont vos charges d'exploitation ? Avez-vous des salaires ou des honoraires à verser ? Quels sont les frais généraux liés à vos bureau, usine ou entrepôt ? N'oubliez pas de créer une inscription distincte pour les impôts. Pour vous assurer de ne rien oublier et de bien comprendre votre comptabilité, vous pouvez inclure autant de détails que vous le désirez dans cette section. Vous préférerez peut-être avoir des inscriptions séparées pour les assurances, les frais

MODÈLE D'ÉTAT DES FLUX DE TRÉSORERIE

Rentrées de fonds	1er mois	2e mois	3e mois	...	12e mois	Total
Ventes au comptant						
Recouvrement de comptes clients						
Produit de prêts						
Autres rentrées de fonds						
Total des rentrées de fonds A						

Sorties de fonds						
Achats de fournitures ou de stocks						
Achats d'immobilisations						
Frais comptables et juridiques						
Publicité						
Frais de déplacements et de voyages						
Taxe d'affaires, permis						
Impôt foncier						
Rémunération de la direction						
Salaires						
Avantages sociaux						
Loyer						
Assurances						
Frais bancaires et intérêts						
Remboursements de prêts et d'hypothèques						
Entretien et réparations						
Frais de transport (marchandises)						
Téléphone						
Services publics						
Dépenses de bureau et d'expédition						
Autres charges d'exploitation						
Versements d'impôts sur le revenu						
Total des sorties de fonds B						

Excédent ou (déficit) (A-B)						
Solde de caisse d'ouverture C						
Solde de caisse de fermeture D						

*Note : la ligne « C » est un report de la ligne « D » du mois précédent.

divers, les réparations et l'entretien. Additionnez tous ces montants pour chaque mois et vous obtenez le total de vos charges.

Soustrayez enfin le total de vos sorties de fonds du total de vos rentrées de fonds: vous obtenez alors l'excédent, ou le découvert, pour chaque mois et pour l'ensemble de la période couverte par le tableau. Finalement, entrez votre solde de caisse d'ouverture et additionnez vos rentrées de fonds nettes ou soustrayez vos sorties de fonds nettes. Avec cet état des flux de trésorerie facile à lire et à comprendre, vous avez en main un aperçu des flux de trésorerie de votre entreprise pour les six prochains mois. Servez-vous de ces projections et de votre plan d'affaires pour effectuer des changements dans votre entreprise et suivre l'évolution de votre situation financière.

Les enquêtes de solvabilité

Votre clientèle s'attend à obtenir fiabilité et qualité de votre part, et de vos produits et services. Ils ont confiance que vous tiendrez vos promesses et leur livrerez la marchandise au moment et au prix convenus. En retour, vous vous attendez à être payé dans des délais raisonnables. Mais que faire si vous êtes sur le point de faire crédit à de nouveaux clients que vous ne connaissez pas? En tant que propriétaire d'entreprise responsable, c'est une prudence élémentaire qui vous dicte de mener une enquête de solvabilité sur eux pour vous assurer de leur degré de solvabilité. Vous n'avez pas besoin de vous enquérir de la solvabilité de chaque client, et le niveau de cette enquête diffère selon les clients, selon certains facteurs: entre autres, le volume d'affaires que vous pensez traiter avec eux et la durée d'existence de leur entreprise. Si vos clients vous paient au comptant ou vous règlent avec une carte de crédit ou de débit, vous n'avez pas à faire une enquête de solvabilité puisque vous disposez immédiatement de leur argent.

Vous pouvez faire une enquête de solvabilité par l'intermédiaire d'agences d'évaluation du crédit (p. ex.: Dun & Bradstreet et

Equifax Canada ou le Bureau d'éthique commerciale (voir les Ressources à la fin de ce livre).

Les procédures de recouvrement

Comme beaucoup d'entrepreneurs, il vous incombe de vérifier que votre entreprise reçoit tous les paiements qui lui sont dus. Cela peut être l'une des tâches les plus difficiles d'un petit entrepreneur : il n'est pas toujours facile de déterminer s'il vaut mieux consacrer du temps à recouvrer des créances ou bien à susciter plus de ventes auprès des clients qui sont de bons payeurs. Mais à un certain moment (le plus tôt possible), vous devez tenter par tous les moyens d'obtenir l'argent que l'on vous doit.

Dès que vous constatez qu'un client n'a pas respecté une échéance de paiement, téléphonez-lui et discutez amicalement avec lui du problème avec tact et fermeté. Lors de votre appel, ayez en main toute l'information concernant le compte. Négociez des modalités de paiement que vous trouvez acceptables et fixez des échéances précises. Soyez prêts aussi à donner des avertissements : par exemple, vous ne servirez plus ce client jusqu'à ce qu'il ait remboursé sa dette. Il est important de demeurer courtois et poli pendant cette conversation, car il s'agit probablement d'une personne avec qui vous continuerez de traiter des affaires. Après avoir convenu des conditions, il est recommandé de faire parvenir à votre interlocuteur une note résumant cet appel, afin qu'il n'y ait aucun malentendu possible. Inscrivez sur votre agenda la date du remboursement ou versement promis : si celui-ci n'est pas effectué, informez-vous tout de suite des raisons pour lesquelles votre entente n'a pas été respectée. Dans un tel cas, vous devez décider jusqu'à quel moment les négociations devraient continuer. Lorsque vous pensez avoir épuisé tous vos recours, vous pouvez choisir de vous adresser à une agence de recouvrement.

Moyennant certains frais (généralement un pourcentage de la créance recouvrée), une agence de recouvrement tente d'obtenir l'argent qui vous est dû. Les frais ou la commission varient selon le montant qu'elle recouvre et peuvent représenter de 10 jusqu'à 50 %

de cette somme. Vous seul pouvez décider si vous n'y perdez pas trop, mais n'oubliez pas qu'«un tien vaut mieux que deux tu l'auras». Choisissez une agence de recouvrement de bonne réputation (p. ex.: Dun & Bradstreet offre des services de recouvrement). Vous pouvez aussi consulter l'annuaire des Pages Jaunes de votre localité. En téléphonant au Bureau d'éthique commerciale ou en visitant son site Web, vous saurez si des plaintes ont été portées contre l'entreprise qui vous doit de l'argent. D'autres entrepreneurs ou votre banquier peuvent aussi vous recommander une bonne agence de recouvrement.

La réduction de vos impôts

Si vous en êtes à votre première entreprise, vous constaterez des différences dans la préparation de vos déclarations de revenus. Un détail reste le même, toutefois: vous avez toujours l'obligation de les payer! Pour ce faire, vous devez tenir compte de vos revenus et de vos dépenses. Cela vous portera davantage à vouloir réduire autant que possible vos impôts. Il n'y a rien d'illégal dans le fait de tenter de payer moins d'impôts, mais les complexités et les règles souvent changeantes du système fiscal rendent la tâche difficile aux propriétaires de petites entreprises qui souhaitent le faire. C'est là que votre relation avec votre comptable peut vous être très profitable. En effet, les comptables ont la responsabilité de se tenir à jour quant aux changements apportés aux règlements de fiscalité. Celui qui fait partie de votre équipe a la responsabilité de vous informer de tous les changements pertinents pour vous et votre entreprise.

Une des questions les plus fréquentes lors du démarrage d'une entreprise est de savoir si vous devez louer ou acquérir vos locaux, voitures, équipements, etc. La location offre certains avantages fiscaux: selon le type que vous choisissez, les paiements peuvent être passés en charges à l'entreprise, réduisant ainsi votre revenu et donc le montant de vos impôts.

Voici d'autres stratégies pour réduire vos impôts:

- Pensez à verser les cotisations maximales admissibles à votre REER chaque année. En outre, discutez avec votre comptable des avantages du fractionnement du revenu au moyen d'un REER du conjoint pour diminuer votre revenu imposable quand vous commencerez à retirer de l'argent.

- Consultez votre comptable ou votre avocat pour connaître les avantages de la constitution de votre entreprise en société de capitaux (voir le chapitre 2). Les entreprises désignées comme petites entreprises selon la loi fédérale de l'impôt sur le revenu sont soumises à un taux d'imposition plus bas que celui des grandes sociétés. Toutefois, assurez-vous d'étudier la question sous tous ses aspects, et pas seulement celui de la réduction des impôts.
- Si vous établissez votre bureau à domicile, vous pouvez déduire à titre de charges d'exploitation une partie de tous les coûts afférents à votre résidence : intérêts d'hypothèque, loyer, services publics, etc. Le pourcentage que vous avez le droit de déduire correspond à celui de l'espace occupé par votre entreprise : si celui-ci représente un cinquième de la surface totale de votre domicile, vous pouvez déduire un cinquième des coûts reliés à votre résidence.

Une dure vérité

Il arrive parfois que le plan d'affaires et l'état des flux de trésorerie, de même que vos impressions sur votre entreprise, vous révèlent une réalité que vous préféreriez ignorer. Ou encore qu'un marché en déclin vous contraint à affronter d'épineuses questions. Afin de pouvoir maintenir votre entreprise sur la voie de la réussite, vous avez peut-être besoin d'effectuer des changements radicaux et de prendre des décisions difficiles. Un licenciement d'employés peut sauver votre entreprise, mais cela ne rend pas la tâche plus facile à faire.

Certaines entreprises ont un cycle de vie naturel, elles naissent, croissent et disparaissent. Mais si vous croyez pouvoir ressusciter votre entreprise grâce à une aide financière et justifier la continuité de son existence de façon convaincante, communiquez cette information à votre banquier ou à tout autre conseiller de confiance. N'oubliez pas que vous avez maintenant un banquier qui prend vos intérêts à cœur et veut le succès de votre entreprise. Demandez-lui de vous aider à chercher des solutions pour votre entreprise. Cependant, définissez d'abord vos besoins : un prêt à court terme pour faire face à des difficultés temporaires ou bien un financement à plus long terme afin d'effectuer des changements fondamentaux dans la gestion de votre entreprise.

Il faut que vous sachiez d'abord si vous gagnez de l'argent ou si vous en perdez. Si la croissance de votre entreprise est si rapide que vous perdez des clients, vous devez en comprendre les implications. N'hésitez pas à aborder ce sujet avec votre banquier ; il s'agit de l'un des moments déterminants pour votre entreprise, car vous êtes à la croisée des chemins et vous devez rester en contact étroit avec les membres de votre équipe. Bien sûr, vous vous inquiétez peut-être de la réaction de votre banquier. Mais si vous avez maintenu de bons contacts avec lui durant les bonnes et les mauvaises années, vous jouissez d'une solide crédibilité, et votre banquier sera heureux d'élaborer un plan d'action avec vous. Pendant un ralentissement du cycle économique (qu'il s'agisse de l'économie en général ou de votre secteur d'activité), vous devrez peut-être réduire vos prix pendant un certain temps et trouver le moyen de diminuer vos charges.

Il s'agit d'un bon moment pour revenir à votre plan d'affaires, qui est le fondement de votre entreprise (pour le meilleur et pour le pire !). Utilisez-le pour analyser votre situation actuelle.

Le chapitre suivant est consacré à tous les aspects concernant l'embauche du personnel et les manières de garder vos employés heureux.

Chapitre 7

L'embauche de personnel

Certaines petites entreprises se débrouillent très bien sans employés pendant des années. Les propriétaires de ces entreprises confient à des sous-traitants les tâches qu'ils n'aiment pas (tenue de comptabilité ou marketing, par exemple) ou celles qu'il est plus logique de faire effectuer à l'extérieur de l'entreprise (entreposage, ventes, etc.). Si c'est votre cas, il se peut que vous en veniez à vous sentir débordé : votre répondeur enregistre plus de messages que vous ne pouvez traiter, votre télécopieur régurgite assez de feuilles pour tapisser plusieurs fois la surface de votre bureau et votre courrier électronique est si abondant que vous n'osez pas l'ouvrir. Qui plus est, un de vos fournisseurs n'a pas livré le composant essentiel dont vous avez besoin pour une commande de votre plus gros client parce que vous avez oublié de signer et d'expédier un bon de commande. Vous n'avez pas pris de vacances depuis trois ans et votre conjoint ou conjointe ne vous adresse plus la parole. Le chaos s'est installé dans votre vie ! Il est grand temps pour vous de songer à engager un employé. C'est une perspective qui vous donne peut-être des frissons, mais vous verrez que ce processus peut facilement s'apprivoiser.

Embaucher ou ne pas embaucher...

Tout d'abord, avez-vous vraiment besoin d'un employé à temps plein? La solution est peut-être d'engager une personne efficace travaillant à temps partiel, qui remettra de l'ordre dans vos affaires et se chargera de certaines tâches afin de vous permettre de vous occuper d'autres, plus importantes. «Déléguer» est peut-être le concept le plus difficile à intégrer pour un travailleur autonome, mais dès qu'on en fait l'essai, on se demande souvent comment on a pu survivre avant d'y recourir. Vous arriverez alors peut-être à la conclusion que l'embauche d'un employé à temps plein pour effectuer des tâches exécutées jusque-là par des travailleurs à forfait peut vous faire épargner de l'argent et résulter en une meilleure organisation de votre entreprise.

Au chapitre 5, j'explique comment différentes personnes peuvent vous aider. Mais quand vous décidez d'engager un aide-comptable, un représentant ou un assistant, vous avez encore d'autres décisions à prendre. Cet employé travaillera-t-il à temps plein ou à temps partiel? Où l'installerez-vous, dans votre bureau ou ailleurs? Quel impact aura l'embauche de personnel sur votre entreprise?

Pendant que vous évaluez la possibilité d'engager ou non du personnel, ne pensez pas seulement au salaire de cet éventuel employé. Toute embauche entraîne aussi des coûts: vous devrez peut-être acheter un bureau, un téléphone, un téléphone cellulaire, un ordinateur, etc. Cela vous crée également des responsabilités supplémentaires inhérentes à votre rôle d'employeur (voir ci-dessous). Quand vous aurez déterminé les coûts et les effets de l'embauche de un ou plusieurs employés, posez-vous les questions suivantes. Le ou les nouveaux employés vous aideront-ils, directement ou indirectement, à augmenter vos ventes ou à épargner assez d'argent pour couvrir leur salaire et les autres charges reliées à leur emploi? Que ferez-vous si vos résultats démontrent que vous rentrez simplement dans vos frais? Dans ce cas, l'embauche peut quand même être valable: la présence d'un employé à vos côtés vous permet de voir plus de clients, d'en trouver de nouveaux, d'amorcer des changements dans votre entreprise et d'avoir plus de temps pour votre famille. Tous les avantages que vous en retirerez ne peuvent être mesurés en termes financiers, mais certains amélioreront la santé financière de votre entreprise, même si au départ ce n'était pas votre but principal.

L'employeur responsable

En devenant employeur, vous assumez un certain nombre de responsabilités. Vous avez besoin d'un numéro d'entreprise. Vous prenez aussi la responsabilité de vérifier que votre employé a un numéro d'assurance sociale. Vous devez déduire de son salaire les impôts sur le revenu et les contributions à l'assurance-emploi, ainsi qu'au Régime des rentes du Québec (RRQ) ou au Régime de pension du Canada (RPC), puis remettre régulièrement ces montants aux gouvernements. Vous détenez ces retenues à la source en fidéicommis pour les gouvernements. Cet argent n'entre donc pas dans le calcul de vos revenus : si votre entreprise fait faillite, les gouvernements ont le droit de récupérer les sommes qui leur sont dues avant tout autre créditeur.

Voici ce qu'il vous faut savoir et les endroits où obtenir de l'information :

- Communiquez avec le ministère provincial du Travail pour obtenir des guides gratuits concernant les nouveaux employeurs. Demandez aussi une copie de la Loi sur les normes du travail et son guide. Cette loi définit entre autres le salaire minimum, les heures de travail, le temps supplémentaire, les retenues à la source, les vacances et les jours fériés, les indemnités de départ, l'équité salariale et la cessation d'emploi. Il est important de connaître ces détails ; si vous êtes tenté de les ignorer, prenez plutôt rendez-vous avec votre avocat pour en discuter pendant une heure ou deux. Certaines entreprises sont également régies par la législation fédérale : vous pouvez obtenir des renseignements sur les normes en visitant le site Web des Centres de services aux entreprises du Canada à www.rcsec.org/gol/bsa/interface.nsf/frndoc/0.html. Cliquez sur « Embauche d'employés ou de contractuels », puis sur « Normes du travail » et allez ensuite à la section portant sur le « Code canadien du travail ». Ce site Web vous renvoie à d'autres sites contenant des informations sur d'autres sujets abordés dans le reste de cette liste.

- Obtenez une trousse d'information pour les employeurs de votre bureau local de l'Agence des douanes et du revenu du Canada (ADRC). Lorsque vous faites cette demande, on vous assigne un numéro d'employeur que vous devez utiliser chaque fois que vous envoyez des rapports ou de la correspondance à l'ADRC. La trousse comprend une brochure pour vous aider à mettre votre projet sur pied, des formulaires d'exonération fiscale, des tables d'impôts, de contributions au Régime de pensions du Canada et à l'assurance-emploi, une formule de versement pour vos premiers rapport et paiement (par la suite, vous recevrez une formule chaque mois) ainsi qu'un guide sur les déclarations à compléter en cas de cessation d'emploi. Le gouvernement du Québec vous enverra une trousse similaire pour que vous puissiez vous conformer aux lois provinciales.
- Vérifiez avec la Commission de la santé et de la sécurité au travail (CSST) pour savoir si votre entreprise doit payer une prime annuelle à la commission.
- Familiarisez-vous avec les législations fédérale et provinciale sur les droits de la personne. Il existe des interdictions relatives à toute discrimination basée sur la nationalité, la citoyenneté, la race, la couleur, l'origine, l'âge, le sexe, l'état matrimonial, la grossesse, les croyances religieuses ou politiques, la déficience mentale ou physique et les antécédents criminels. Même si vous n'employez qu'une seule personne, ces lois s'appliquent autant à votre petite entreprise qu'à toutes les grandes sociétés.
- Préparez-vous à constituer un dossier complet sur votre employé incluant son nom, son adresse, sa date de naissance, son numéro d'assurance sociale, le nombre de personnes à sa charge, la date de début d'emploi (et de cessation d'emploi), son poste, le nombre d'heures de travail quotidien, son taux de rémunération et les périodes de paie, les retenues à la source effectuées ainsi que les vacances et les jours fériés dont votre employé a profité. Ce dossier servira à calculer le salaire de votre employé, et cette information doit être envoyée aux gouvernements lorsque vous en-

voyez vos paiements des retenues à la source et que vous complétez les formulaires T4 sommaires (au fédéral) et les relevés 1 Sommaire (au Québec) de votre employé. Le Développement des ressources humaines Canada (DRC) a aussi besoin de ces informations pour calculer les prestations d'assurance-emploi, le cas échéant.

Comment trouver l'employé idéal

Une description d'emploi écrite éclaire les candidats sur vos exigences et les détails de l'emploi. Elle peut sembler inutile pour une entreprise ne comptant encore qu'une seule personne, mais mieux vaut prévenir que guérir, après tout. De plus, il n'est pas nécessaire qu'elle soit très compliquée : elle doit seulement être fonctionnelle. S'il surgit par la suite des différends au sujet des modalités d'emploi ou bien un malentendu sur les attentes à l'égard de l'employé, il est toujours bon de pouvoir s'appuyer sur une description d'emploi écrite pour étayer sa position. Incluez-y une vue d'ensemble des tâches de l'employé et les compétences requises pour les accomplir. Ajoutez-y également tous les détails particuliers sur les conditions et les heures de travail. Par exemple, si vous croyez que vous n'avez besoin de l'employé que pour une période précise, mentionnez-le ; et si vous pensez que cet employé devra faire des heures supplémentaires de temps à autre, n'oubliez pas de l'écrire aussi. Énumérez les qualités qui sont essentielles pour cet emploi ainsi que celles qui peuvent être un atout. En rédigeant une description précise et détaillée, vous énoncez clairement vos attentes : ainsi, les candidats intéressés pourront déjà opérer une autosélection. S'il vous faut un employé pour travailler le soir et les fins de semaine, ceux qui ne sont pas disponibles à ces moments-là ne postuleront pas. Vous n'aurez donc pas à faire d'entrevue avec un candidat intéressant pour découvrir à la toute fin qu'il ne peut pas travailler aux heures demandées.

Servez-vous de la description d'emploi pour définir dans votre esprit vos attentes au sujet des tâches de votre futur employé. Puis créez une petite annonce basée sur cette description d'emploi : choisissez-en les principaux points et ajoutez les conditions que vous trouvez importantes. Si vous êtes trop vague, vous courez le risque de recevoir une avalanche de réponses de la part de candidats non qualifiés. Rédigez votre description en conformité avec les législations sur les droits de la personne et spécifiez si les candidats devront passer un test. Publiez votre annonce dans le journal local et peut-être aussi dans ceux des localités avoisinantes. Vous devez décider également de quelle façon les candidats communiqueront avec vous : par téléphone, par la poste, par télécopieur ou par courrier électronique. Dans un marché du travail tendu, vous préférerez peut-être que les candidats vous téléphonent directement. Mais dans un marché du travail plus large, vous demanderez probablement seulement l'envoi d'un *curriculum vitæ* et ne publierez pas votre numéro de téléphone. Si vous désirez rester anonyme, vous pouvez faire expédier les réponses à des boîtes postales offertes par les journaux dans lesquels vous annoncez. Les réponses sont ensuite conservées pour vous et réexpédiées à votre adresse. Si vous donnez votre numéro de téléphone, soyez prêt à répondre à tous les appels des candidats éventuels. Vous pouvez aussi dire dans votre annonce que vous ne contacterez que les candidats sélectionnés pour une entrevue. Ainsi, vous n'aurez pas à communiquer avec chaque personne qui a répondu à l'annonce. Analysez d'abord des offres d'emploi parues dans les journaux où vous voulez publier la vôtre pour déterminer leurs bons et mauvais points.

Vous pouvez également trouver des candidats en contactant les écoles, collèges et universités de votre ville. Les agences de recrutement se spécialisent parfois dans des types particuliers d'entreprise (consultez les Pages Jaunes sous «Agences de placement») et sont souvent une bonne source d'employés à temps partiel. En outre, le DRC (ainsi que les ministères provinciaux) peut vous soumettre le nom des personnes inscrites susceptibles de répondre à vos besoins.

Ou encore, mettez à contribution le bouche à oreille : faites passer le message dans le réseau de relations que vous avez mis sur pied. D'autres entrepreneurs, des amis, des membres de votre famille, votre comptable, votre avocat, votre conseiller en marketing connaissent peut-être des gens qui pourraient vous convenir, ce qui peut s'avérer très fructueux s'ils connaissent les activités de votre entreprise et ce dont vous avez besoin. Réfléchissez à la meilleure façon de rejoindre les meilleurs candidats. Pensez aux périodiques, magazines et journaux qui s'adressent à des groupes précis de personnes (femmes, groupes ethniques, etc.) ou à des secteurs d'activité particuliers (ingénierie, soins de santé, enseignement, etc.). Vous pouvez aussi afficher votre offre d'emploi sur certains sites Internet spécialisés tels le Guichet emplois du gouvernement fédéral : http://jb-ge.hrdc-dhrc.gc.ca/intro-fr.asp, le site de Jobboom : www.jobboom.com ou encore celui de Workopolis : www.workopolis.com. L'idéal est d'attirer le plus grand nombre possible de candidats, puis d'établir une courte liste des meilleurs choix.

L'entrevue

Parmi les réponses à votre offre d'emploi, choisissez les quatre ou cinq meilleures. Il peut être tentant de voir en entrevue tous les candidats, mais cela pourrait créer une confusion inutile. Si les candidats choisis dans ce premier groupe ne vous emballent pas, repensez votre annonce. Elle a peut-être besoin d'une révision afin d'attirer le type de candidats qui vous intéressent. N'hésitez pas à y consacrer un peu plus de temps et d'argent : cela peut être profitable au bout du compte.

Avant les entrevues, préparez une liste de questions que vous voulez poser aux candidats et définissez ce que vous attendez de leurs réponses. Si vous n'avez pas encore eu l'occasion d'interviewer quelqu'un, pratiquez votre technique d'entrevue avec un ami ou un membre de votre famille. Même s'il ne s'agit pas d'une vraie situation d'entrevue, cet exercice révélera peut-être certaines faiblesses, que vous pourrez alors améliorer. Une simulation peut aussi montrer la faiblesse ou l'ambiguïté de certaines questions. En outre, il est recommandé de poser les mêmes questions à chaque candidat afin de pouvoir plus facilement déterminer celui qui convient le mieux à vos besoins.

Formulez vos questions afin qu'on n'y réponde pas simplement par «oui» ou «non», car votre but est de faire parler les candidats. Essayez aussi de ne pas laisser l'entrevue déborder dans des domaines autres que ceux qui concernent directement le poste à combler. Sans le vouloir, vous pourriez ainsi discuter de sujets qui sont défendus par la législation sur les droits de la personne. Même une allusion innocente au lieu de naissance du candidat peut être jugée comme préjudiciable. En outre, si vous avez l'intention de soumettre le candidat choisi à une période d'essai, vous devez le mentionner pendant l'entrevue. Les périodes d'essai (de trois mois, en général) permettent à l'employeur et à son nouvel employé de mieux se connaître. Vous pouvez alors observer si cette personne accepte d'exécuter vos ordres, si elle travaille de façon autonome et si vous vous entendez bien tous les deux. Il est plus simple de congédier un employé avant la fin de la période plutôt que de laisser pourrir la situation. Si vous sentez qu'il y a un problème, il vaut mieux demander à l'employé de partir pendant cette période d'essai, puisque les raisons de cessation d'emploi qui s'appliquent alors sont moins rigoureuses que celles en vigueur par la suite.

Menez vos entrevues dans une ambiance détendue. Et pendant que vous interviewez un candidat, ne répondez pas au téléphone: laissez votre répondeur s'en occuper. Avisez la personne interviewée que vous prendrez des notes pendant votre rencontre; évitez toutefois d'écrire des descriptifs tels «homme dans la cinquantaine», «femme avec de jeunes enfants» ou «jeune homme en fauteuil roulant». Certes, ces commentaires vous aideraient à différencier les divers candidats par la suite, mais ils pourraient être interprétés comme des signes de discrimination. Vos notes vous aideront à déterminer qui est le meilleur candidat pour le poste que vous offrez. Allouez au moins une demi-heure pour chaque entrevue et ménagez-vous du temps entre chaque rencontre pour écrire vos observations. Enfin, ne tentez pas d'interviewer tous les candidats la même journée.

L'embauche est une démarche réciproque : vous et votre entreprise êtes aussi jugés ! Si vous portez habituellement un jeans au bureau, ne revêtez pas un complet pour vos entrevues. Bien sûr, c'est la compétence et l'expérience des candidats qui sont vos priorités, mais l'interaction et la communication entre vous et le candidat sont aussi très importantes. Si vous avez une attitude désinvolte et détendue, il vous faut un employé qui puisse être à l'aise avec votre style.

Le plus important, finalement, est de suivre votre instinct. La recette du succès de l'embauche consiste à combiner une bonne entrevue avec un excellent jugement.

L'embauche du candidat choisi

Lorsque vous avez évalué les candidats et choisi le meilleur, vérifiez ensuite les références qu'il vous a fournies. (Vous aurez averti les candidats du contrôle éventuel de leurs références lors de l'entrevue.) Quand vous téléphonez au sujet d'une référence, confirmez les dates de travail et les fonctions de votre employé éventuel à cet endroit. Comme les anciens employeurs sont souvent préoccupés par les problèmes de confidentialité, la plupart ne vous donneront pas d'autres renseignements. Mais vous pouvez aussi vous informer des habitudes de travail du candidat, de son interaction avec les autres employés et de son sens des responsabilités. Il est utile de conserver un compte rendu de ces vérifications de références.

Si vous êtes satisfait des références de votre candidat et qu'il ne subsiste plus de doutes dans votre esprit, vous êtes en mesure de lui offrir l'emploi. Il vaut toujours mieux faire cela en personne, mais si vous devez annoncer l'offre d'embauche par téléphone, il est recommandé d'envoyer ensuite une lettre confirmant certains détails : le titre du poste, le salaire et la date du début de l'emploi. Gardez des copies dans vos dossiers afin de prouver que vous avez agi correctement, dans le cas où des problèmes surgiraient. Évidemment, lorsque votre employé commence à travailler, traitez-le comme si vous croyiez que tout se passera bien. Après tout, vous devez avoir confiance que vous avez pris la bonne décision.

Travailler avec votre employé

Votre nouvel employé a peut-être déjà travaillé dans votre domaine d'activité ; cependant, il est possible que vous ayez des pratiques commerciales différentes de celles utilisées dans les milieux de travail qu'il a connus. Prenez donc le temps de lui expliquer en détail vos méthodes de travail, actuelles ou projetées. N'oubliez pas que cette personne ne peut pas deviner vos pensées, du moins pas encore ! Quand vous aurez pris l'habitude de travailler ensemble, chacun de vous aura alors une bonne idée de la façon de raisonner de l'autre.

> **Embauchez quelqu'un qui peut faire le travail mieux que vous. En choisissant les meilleurs collaborateurs possible, vous et votre entreprise deviendrez aussi les meilleurs.**

Vous devrez peut-être apprendre à déléguer du travail à votre nouvel employé : il est parfois difficile d'abandonner toutes les tâches dont vous vous chargiez jusque-là, surtout celles qui vous plaisent ou que vous pensez faire mieux que quiconque. N'oubliez pas que vous avez engagé cette personne pour vous aider, alors mettez à profit son expérience, ses compétences et sa bonne volonté. Si vous avez bien choisi cet employé, vous aurez bientôt confiance qu'il s'acquitte de ses tâches mieux que vous-même. Donnez-lui également l'occasion d'apprendre tout en travaillant. Si votre entreprise ne compte que deux personnes, il est idéal de partager la prise des décisions. Vous pouvez en effet exposer vos idées à votre employé, vous verrez vite s'il peut apporter un point de vue intéressant et original à votre discussion. Rappelez-vous toutefois que la plupart des employés n'auront pas le même degré de motivation, de dévouement et d'intérêt pour votre entreprise que vous. Votre entreprise est probablement le centre de votre vie et de vos préoccupations. Mais votre employé, lui, a sûrement d'autres passions en dehors de son travail. Cela n'en fait pas un mauvais travailleur pour autant!

Même si votre entreprise n'est pas de très grande taille, vous devez avoir une politique concernant les hausses de salaire. Quand les offrirez-vous? Sont-elles liées au rendement de l'employé? Souvent il n'est pas facile de discuter salaires, même dans les petits milieux de travail. Un employé qui ne sait pas quand vous passerez en revue son travail peut hésiter à aborder ce sujet et même croire que sa collaboration n'est pas appréciée. Plutôt que d'en discuter avec vous, il se peut même qu'il se mette à chercher un autre emploi. Vous avez consacré temps et argent pour recruter votre employé, vous ne voulez donc pas qu'il vous quitte à cause d'un simple malentendu.

Si vous prévoyez un examen du rendement et une discussion sur la hausse du salaire de votre employé une ou deux fois par année, vous disposez alors de moments fixés à l'avance pour aborder ces questions avec lui. Même si vous lui demandez de temps à autre si tout va bien, il lui est difficile de vous répondre franchement lorsque vous passez en coup de vent.

Si votre employé travaille dans votre bureau (plutôt que d'œuvrer à l'extérieur comme représentant, par exemple), il pourrait devenir la pierre angulaire de votre entreprise. Vous aurez donc enfin quelqu'un qui peut s'occuper du bureau lorsque vous prenez des vacances ou voyagez pour affaires. Dans ce cas, posez-vous quelques questions: donnerez-vous à votre assistant le pouvoir de signer des chèques en votre absence? Jusqu'où iront ses responsabilités? Qu'arrivera-t-il si vous êtes malade pendant des mois? Pourrait-il gérer temporairement votre entreprise? Vous devriez discuter de ces questions avec votre employé pendant que vous évaluez ses capacités. Consultez également votre banquier à ce sujet.

La cessation d'emploi

Personne n'aime congédier un employé, mais c'est parfois nécessaire. Il arrive que l'entreprise ne puisse plus payer un autre salaire. Dans ce cas, souvent, l'employé n'est pas surpris de sa cessation d'emploi. Il a probablement noté une baisse d'activité et sait bien ce que cela entraîne. Ou encore, peut-être que vos tentatives pour régler les problèmes de rendement ont échoué.

Ne considérez pas seulement l'aspect financier lorsque vous songez à congédier un employé à cause de son mauvais rendement. Précisez tout d'abord le problème et collaborez avec votre employé pour tenter de rectifier la situation avant une date prédéterminée. Documentez ces tentatives pour le cas où l'employé n'arrive pas à corriger son travail. Mais s'il réagit bien à vos suggestions et améliore son rendement, faites-lui part de votre appréciation et félicitez-le. Par contre, s'il ne parvient pas à changer, vous n'avez d'autre choix que de lui demander de partir. Ce n'est jamais agréable, et cela peut susciter des émotions pénibles chez les deux parties. Vous ressentirez peut-être du regret, de la colère et un certain soulagement, tandis que votre ex-employé éprouvera peut-être les mêmes émotions, mais plus intensément. Cependant, vous devez avant tout penser à votre entreprise et agir dans son intérêt.

Avant de procéder au congédiement d'un employé, discutez-en avec un avocat spécialisé en droit du travail : cette consultation vous sera très utile et pourrait même vous faire épargner ultérieurement beaucoup d'argent. Il peut discuter avec vous des lois régissant la cessation d'emploi et s'assurer que vous vous y conformez. Vous avez le droit de congédier un employé pour un « motif valable » tel qu'un comportement insolent, une négligence volontaire, un vol ou l'abus d'alcool ou de drogues.

Lorsque vous avez défini clairement les motifs du congédiement, faites-en part en privé à votre employé. Contrôlez vos émotions et traitez la personne concernée avec respect. Abordez avec elle le sujet directement et succinctement, puis annoncez-lui le moment précis de son départ. Il est toujours préférable de payer à l'employé sa période de préavis et de lui demander de partir à la fin de la journée. S'il continue de travailler pendant cette période, il risque de nuire à votre entreprise, à votre service à la clientèle et à vos autres employés. De plus, cela risque d'entraîner un malaise généralisé au bureau.

Le rôle d'employeur semble peut-être exigeant, mais de nombreux propriétaires de petites entreprises repensent avec joie au moment où leur meilleur employé s'est joint à leur entreprise. Cela leur a permis de s'occuper des affaires de leur entreprise au lieu des détails du bureau ou leur a donné la latitude pour traiter avec leurs clients pendant que leur employé négociait avec les fournisseurs. Ou peut-être même peuvent-ils maintenant tout simplement s'offrir un jour de congé hebdomadaire. Enfin, leur employé leur a peut-être permis de libérer du temps pour s'occuper du développement de leur entreprise, sujet auquel est consacré le chapitre suivant.

Chapitre 8

Le développement de votre entreprise

Le développement de votre entreprise fait peut-être partie de votre stratégie d'affaires depuis le tout début. Ou au contraire, la croissance de votre entreprise vous étonne peut-être quelque peu et vous ne savez pas trop si vous désirez la développer vers ce qui semble être la prochaine étape logique. Comment déceler le moment propice pour une telle évolution ? Et quelles sont les implications du développement de votre entreprise ?

Lorsque les gens parlent de « développer leur entreprise », ils désirent en général lui faire prendre de l'expansion en commercialisant un nouveau produit ou en augmentant leurs ventes, leur personnel et la surface de leurs locaux. Ils peuvent aussi vouloir s'implanter dans de nouveaux marchés ou pays. Au tout début, lors du démarrage de votre entreprise, vous aspiriez seulement à réaliser un volume de ventes suffisant pour subvenir à vos besoins et à ceux de votre entreprise. Voilà que maintenant, tout comme à cette époque, vous voyez une nouvelle possibilité d'affaires, mais vous devez développer davantage votre entreprise pour être en mesure d'en profiter. Ou peut-être vous rendez-vous compte tout à coup que votre entreprise en est déjà là, ce qui explique que vous travaillez de plus longues heures : vous déployez énormément d'efforts pour tout faire et commencez à penser que des changements sont nécessaires. Peu importe que cette conclusion soit l'aboutissement d'une croissance planifiée ou simplement une heureuse surprise : certains changements devront se produire afin que votre entreprise puisse se développer efficacement.

Prudence toutefois: avant d'embrasser la religion du «développement à tout prix», analysez en profondeur les raisons qui vous ont permis de connaître jusqu'ici du succès avec votre entreprise.

Votre réussite découle peut-être de votre habileté à réaliser des économies d'échelle. Cela est habituellement le fait des grandes entreprises, souvent plus efficaces et économiques que les petites, puisqu'elles peuvent affecter les travailleurs à une tâche précise pour laquelle ils sont spécialisés plutôt que leur demander d'en accomplir plusieurs. En ce qui vous concerne, la petite taille de votre entreprise vous permet peut-être d'offrir des services ou de fabriquer des produits dont les coûts seraient trop élevés pour de grandes entreprises. Si c'est le cas, la croissance de votre entreprise ne vous apportera aucun avantage.

Prenez le temps de bien réfléchir aux avantages et aux inconvénients d'une telle décision. Que devrez-vous sacrifier pour la croissance de votre entreprise? Il faut aussi prendre en compte qu'une augmentation du volume des ventes n'entraîne pas nécessairement à court terme des bénéfices plus importants. Une fois que vous aurez évalué l'impact possible de cette croissance sur vous, votre entreprise, votre famille et votre existence en dehors de vos affaires, vous serez davantage en mesure de prendre une décision éclairée: garder votre entreprise à son niveau actuel ou bien entreprendre son expansion dans une nouvelle ville, toute la province, tout le pays, et même, le monde entier...

Étudions de plus près les domaines qui seront touchés par la croissance de votre entreprise.

Votre croissance personnelle

Commençons par la personne la plus importante, c'est-à-dire vous, le propriétaire de l'entreprise. En réfléchissant bien à ce que vous êtes sur le point d'entreprendre, demandez-vous si vous êtes prêt physiquement, mentalement et intellectuellement pour affronter le défi posé par une entreprise en croissance. C'est la première question à vous poser, car tout le reste en dépend. Remémorez-vous les raisons qui vous ont poussé à vous lancer en affaires. La croissance que vous envisagez maintenant concorde-t-elle avec vos projets personnels? Si votre entreprise croît de 20 %, devrez-vous y consacrer 20 % plus de temps? Cela vous est-il possible? Qu'en pense votre conjoint ou conjointe? Et vos enfants? Accepteront-ils de vous voir moins souvent, du moins à court terme, pendant que vous vous lancez dans cette aventure excitante?

Vous aurez besoin de compétences nouvelles et différentes pour assurer la gestion d'une entreprise en croissance et vous devrez peut-être développer vos talents bien au-delà des capacités qui vous ont permis de réussir jusqu'ici. Pour gérer efficacement vos affaires, il vous faudra peut-être aussi améliorer vos connaissances financières, de même que vos compétences de gestion et de leadership, essentielles pour diriger votre personnel et l'inspirer par votre vision. Quels sont les cours que vous pourriez suivre pour y arriver?

Examinez également votre évolution personnelle. De toute évidence, vous aimez bien être aux commandes et ne craignez pas les défis. Ces caractéristiques vous ont permis de réussir en affaires. Mais peut-être que votre situation personnelle a changé ou que vous avez atteint vos objectifs et êtes satisfait de votre mode de vie actuel. Vous sentez probablement votre cœur s'accélérer à la pensée de prendre de l'expansion et d'atteindre de nouveaux marchés. Mais cette palpitation est-elle provoquée par votre excitation devant ce nouveau défi ou tout simplement par la peur? Sachez bien distinguer, d'une part, l'instinct vous poussant à l'action pour conquérir de nouveaux marchés et, d'autre part, l'impression de vouloir vous reposer sur vos lauriers. Vos réponses varieront selon les différentes époques de votre vie. Ce n'est pas une indication de lâcheté que de refuser de s'engager dans une telle aventure à ce point-ci de votre carrière.

Votre clientèle

Si vous examinez attentivement vos clients, pouvez-vous tirer des conclusions de leurs personnalités et de leurs habitudes, qui pourraient vous servir pour atteindre une plus grosse clientèle ou un nouveau marché ? Comment ces informations peuvent-elle faire augmenter votre chiffre d'affaires ? Vous avez peut-être besoin de nouvelles études de marché pour vous aider à commercialiser efficacement vos produits ou services à de nouveaux clients. Quelles difficultés aurez-vous à surmonter dans ce domaine ? Devrez-vous faire appel à de l'aide extérieure ? Est-il possible de maintenir votre niveau de qualité actuel ?

Vos nouveaux clients ne seront pas nécessairement semblables à ceux que vous servez déjà, surtout si vous souhaitez développer un nouveau marché dans un pays étranger. Il est important de savoir s'il existe là-bas des différences culturelles qui modifieront vos capacités d'y traiter des affaires, qu'il s'agisse du type de clients intéressés par vos produits ou services ou de la façon de faire des affaires qui ne vous est pas familière. Des détails même tout simples peuvent faire dérailler vos projets.

Finalement, considérez la question du service à la clientèle et l'impact qu'auront sur celui-ci les changements effectués dans votre entreprise. Le service que vous donnez à vos clients fait sûrement votre fierté : un service personnalisé, qui vous suscite la fidélité et la loyauté de votre clientèle. À mesure que votre personnel augmente, vous devez compter sur vos employés pour maintenir le style de service sur lequel se fonde votre entreprise et qui constitue à la fois votre image et votre engagement. Il vous faudra donc doubler vos efforts pour que la croissance de votre entreprise ne nuise pas à la continuité de l'excellent service que vous désirez offrir. L'un de vos plus grands défis est de faire en sorte que votre «nouvelle entreprise» donne autant de satisfaction à vos clients que la petite entreprise des débuts. Sinon, vous risquez de perdre de bons clients à cause des problèmes durant la transition, tels l'embauche de nouveaux employés, l'installation de nouveaux systèmes ou la familiarisation avec des nouveaux fournisseurs.

Votre marché

Dans votre réflexion sur les questions reliées à la croissance éventuelle de votre entreprise, n'oubliez pas d'examiner les marchés où votre entreprise se démarque en ce moment. Leur taille est-elle suffisante pour qu'ils puissent absorber à long terme l'accroissement du chiffre d'affaire de votre entreprise? Une expansion de votre entreprise est-elle possible? Sinon, vous pouvez aussi considérer une stratégie de diversification pour permettre la croissance de votre entreprise, dans de nouveaux marchés, ou encore, dans de nouveaux secteurs d'activité. Vous devrez procéder à des études de ces nouveaux marchés ou secteurs d'activité afin d'en découvrir les possibilités et d'en établir le profil: volume des ventes, types de clientèle, caractérisation de la concurrence, mise en marché, etc. Par ailleurs, les possibilités de croissance se situent-elles à l'extérieur de votre région ou même de votre pays? Dans ce cas, vous devrez vous familiariser avec les différents problèmes de logistique qui en découlent: communication, commandes et facturation, transport et livraison, gestion des stocks, modalités de paiement, etc. Cela entraînera probablement des frais additionnels pour votre entreprise. Et vous aurez peut-être besoin d'apprivoiser de nouveaux défis complexes tels que l'exportation, l'importation, les voyages, Internet, le commerce électronique.

Si vous considérez une expansion au-delà du marché canadien, vous découvrirez que l'implantation sur le marché des États-Unis comporte de nombreux avantages. Par exemple, vous profitez d'un taux de change avantageux. Vous aurez sans doute l'impression d'y faire des ventes au prix fort, mais en dollars américains, vos produits ou services semblent si bon marché que vous pouvez les vendre plus chers qu'au Canada. Le Mexique est un autre pays offrant de merveilleuses occasions d'affaires aux entreprises canadiennes. Grâce à l'Accord de libre-échange nord-américain (ALENA) et aux divers organismes gouvernementaux qui peuvent les guider, les entreprises trouvent de plus en plus attirante l'idée de s'implanter sur ces marchés. Définissez les avantages que possède une entreprise canadienne pour les clients de ces nouveaux marchés. De plus, les normes canadiennes s'appliquant à votre secteur d'activité sont peut-être plus élevées que celles de leur pays, et cela vous donne un avantage. Par exemple, les normes de sécurité en vigueur au Canada pour les jouets garantissent aux acheteurs étrangers que ces jouets ne mettront pas en danger la santé ou la vie de leurs enfants.

Assurez-vous que la banque avec qui vous faites affaire est représentée dans les pays où vous voulez implanter votre entreprise : cela facilite les transferts de fonds.

Afin de pénétrer un marché à l'étranger, vous devrez peut-être retenir les services d'une agence qui vous représentera. Ou encore, vous pouvez faire preuve d'audace et décider tout simplement d'y déménager votre siège social. Sans aucun doute, retenir les services d'un agent réputé sur place est une bonne solution à court terme, jusqu'à ce que vous connaissiez mieux les perspectives de ce nouveau marché. Enfin, vous devrez aussi vous enquérir de diverses questions reliées à vos affaires dans ce pays : octroi des licences, impôts, droits de douane, etc.

Vos finances

Vous devez déterminer l'impact que les nouvelles possibilités de ventes auront sur vos charges et vos bénéfices. Réexaminez de nouveau votre plan d'affaires, vos projections et vos derniers états financiers, et tentez de définir quels seront les changements du point de vue financier. Élaborez un seuil de rentabilité pour voir les façons de compenser les coûts que représentent les nouveaux équipements, employés et locaux. Comment pouvez-vous améliorer les rendements et utiliser vos connaissances et votre expérience pour que l'expansion de votre entreprise sur de nouveaux marchés devienne aussi efficace que possible?

Discutez également avec votre banquier. Tenez-le au courant de vos progrès, car la banque peut vous aider de multiples façons (p. ex.: en émettant des lettres de crédit et des lettres de garantie). Grâce à ses contacts dans divers pays, une institution bancaire peut faciliter les transferts de fonds en provenance et en direction de pays étrangers. Depuis les événements tragiques du 11 septembre 2001, un grand nombre d'entreprises confient davantage aux banques le soin de gérer les transferts d'argent du Canada vers l'étranger. Cette pratique permet de transférer des fonds de façon plus aisée et plus fiable, surtout depuis qu'on a resserré, au Canada et dans beaucoup d'autres pays, les lois contre le blanchiment d'argent. Enfin, vous devrez peut-être mettre sur pied un réseau de soutien ou élargir votre équipe actuelle (avocat, notaire, comptable, conseiller en marketing, représentants), surtout si vous décidez de faire des affaires à l'étranger.

Vos fournisseurs

Vous n'êtes pas seul à vivre de telles transformations. Si votre entreprise est en pleine croissance, d'autres croîtront aussi: celles de vos fournisseurs. Vous devez vous assurer que vos fournisseurs peuvent répondre à l'augmentation de vos commandes découlant de la croissance de votre production et du développement de nouveaux marchés. Vous pouvez aussi négocier avec eux afin d'améliorer la gestion de votre trésorerie. Avec l'accroissement du volume et de la fréquence de vos commandes, vous êtes en droit de demander à vos fournisseurs un meilleur escompte et des modalités de paiement plus avantageuses. De plus, il vous faudra peut-être une solution de rechange au cas où vos fournisseurs ne pourraient pas se charger du surplus de travail que vous leur demandez.

Les ressources humaines

À mesure que votre entreprise croît, vous avez probablement tendance à vous disperser, jusqu'au moment où vous réalisez que vous avez besoin de renfort. Quel doit être votre rôle dans l'entreprise maintenant agrandie? Faut-il déléguer une partie du travail d'administration à des travailleurs à forfait ou à des employés que vous embaucherez afin de pouvoir vous concentrer sur le développement de vos affaires? Quels sont les postes à combler et quelles compétences exigent-ils? Vous faut-il des gens aux connaissances spécialisées, et si c'est le cas, comment les trouver? Avez-vous l'intention d'engager votre conjoint ou vos enfants pour travailler dans votre entreprise?

Si vous avez réussi jusqu'ici à gérer votre entreprise sans aucun employé, la décision de devenir employeur est d'autant plus une grosse étape à franchir qu'elle survient au moment où votre entreprise est en pleine croissance et en cours d'expansion sur de nouveaux marchés; cela peut faire grimper votre niveau de stress à des altitudes stratosphériques!

Une partie de votre emploi du temps comme employeur sera consacrée aux questions du développement et du rendement de vos employés pour que leur évolution corresponde à celle de votre entreprise. Par ailleurs, c'est peut-être le moment opportun de constituer votre entreprise en société de capitaux (voir le chapitre 2), ce qui en changera la structure.

Le leadership

La question du leadership est étroitement liée à celle des ressources humaines, mais comme c'est un point très important, je préfère le traiter séparément. Avez-vous l'étoffe d'un leader? Pensez aux implications de cette question. Vous êtes bien sûr une personne d'action: si vous ne l'étiez pas, jamais vous n'auriez envisagé de vous lancer dans l'aventure emballante du développement de votre entreprise. Mais quand on a des employés, il ne suffit pas d'être une personne d'action, il faut aussi être un leader. Les autres suivront-ils vos directives? Saurez-vous les inspirer? Voulez-vous vraiment ce rôle? Nombre d'entrepreneurs aiment exercer un contrôle total et n'avoir de comptes à rendre à personne. Cependant, cette situation change lorsque vous engagez votre premier employé. À partir de ce moment, vous avez quelqu'un que vous devez guider et motiver. Cela semble contradictoire, mais le leadership implique que vous devez rendre des comptes à tout le monde: non seulement à vos clients et à vous-même, mais aussi à ceux qui travaillent dans votre entreprise. Vous devez expliquer clairement à vos employés les objectifs de votre entreprise, la façon de les atteindre et le rôle qu'ils auront à jouer. Des talents de communicateur sont donc essentiels.

La technologie de l'information

À mesure que votre entreprise grandit, vous devrez passer en revue votre structure d'affaires, vos méthodes de comptabilité et vos habitudes administratives. Pour mieux gérer l'expansion que vous projetez, vous aurez peut-être besoin de nouveaux supports technologiques, qu'il s'agisse de matériel informatique plus puissant ou de nouveaux logiciels pour gérer une comptabilité plus complexe ou pour surveiller l'avancement des travaux ou l'expédition des marchandises, par exemple. Vérifiez que les coûts reliés à cette technologie de l'information sont inclus dans vos projections financières. Il n'est pas toujours nécessaire d'effectuer de tels changements, mais si vous prenez le temps de les planifier, vous serez plus tranquille et n'aurez pas à faire face à des coûts inattendus durant le développement de votre entreprise.

Le marketing

Un marketing efficace peut contribuer à l'accroissement de vos ventes et au maintien du développement de votre entreprise. Choisissez les moyens que vous utiliserez pour annoncer au public la croissance de votre entreprise. Réfléchissez à des changements éventuels dans votre stratégie de marketing, qui pourraient s'avérer nécessaires pour rejoindre de nouveaux clients. Quels en sont les coûts et les avantages? Comme pour tous les autres aspects de votre développement d'entreprise, évaluez-en le rapport coût-bénéfice, au moins à long terme.

N'oubliez pas ce que vous avez déjà appris sur le marketing: assurez-vous de mettre l'accent sur la description des avantages de la croissance de votre entreprise, tant pour vos clients actuels que futurs. Par ailleurs, si vous procédez à une expansion sur de nouveaux marchés, vous avez besoin de pouvoir mesurer l'efficacité de votre campagne. Afin de parvenir à déterminer si vous atteignez vos clients cibles, utilisez, par exemple, des coupons-rabais que les clients doivent remettre au marchand ou retourner par la poste. C'est l'une des techniques les plus simples de suivi commercial, mais elle fonctionne très bien. Toutefois, des techniques gagnantes dans les grands centres urbains n'ont pas nécessairement le même impact dans les régions rurales du Canada ou du Mexique. N'oubliez donc jamais les quatre «P» du marketing: le bon Produit, au bon Prix, à la bonne Place, avec la bonne Promotion.

Les ventes

Le développement de votre entreprise peut vous obliger à modifier vos méthodes de vente. Le bouche à oreille fonctionnait peut-être à merveille quand votre territoire de vente était limité sur le plan géographique, mais il ne sera plus suffisant pour vous permettre d'atteindre de nouveaux marchés plus étendus. De plus, votre façon actuelle de faire votre propre publicité n'est peut-être plus adéquate pour soutenir la croissance de votre entreprise. Votre expérience vous permet maintenant de savoir si vous avez des talents de vendeur. Si ce n'est pas le cas, mais que vous avez quand même réussi à vous débrouiller jusqu'à maintenant, votre faiblesse dans ce domaine deviendra peut-être plus évidente avec la croissance de vos affaires. Votre personnel et vous avez peut-être besoin de formation professionnelle particulière et de stratégies ciblées afin de définir vos buts et objectifs de vente et de travailler à les atteindre. Assurez-vous toutefois de collaborer avec des personnes qui peuvent exceller dans leurs fonctions. Pour votre personnel de vente et de service, choisissez des personnes qui aiment développer des relations avec les gens, puis mettez en place la structure de soutien requise pour gérer adéquatement l'augmentation de vos ventes. Sinon, votre entreprise risque de souffrir d'une dégradation de ses services de vente et d'après-vente, et vous risquez alors de perdre la fidélité et la loyauté de vos clients.

Vous aurez peut-être besoin d'une équipe de vente distincte pour votre nouveau marché, surtout s'il se situe dans un autre pays. Vous devez aussi décider si vous engagerez des personnes qui connaissent ce nouveau marché ou si vous recourrez aux services d'un agent qui se chargera de la vente pour vous. Vous préférez probablement trouver des personnes possédant ces deux compétences, mais c'est très difficile. Pour régler ce dilemme, je vous recommande la même approche que celle dont vous vous êtes déjà servi pour affronter vos autres défis d'affaires, à savoir: une réflexion sérieuse qui s'appuie sur votre plan d'affaires et sur des discussions avec des partenaires de confiance. Vous pourrez ainsi prendre une décision fondée sur les meilleurs informations et conseils possible.

* * *

Vous voilà donc revenu à votre plan d'affaires et à vous reposer les mêmes questions, mais sous un éclairage complètement différent. Testez certains des scénarios possibles présentés dans votre plan d'affaires. Étudiez de nouveau les chiffres qu'il contient, cette fois-ci dans le contexte de la croissance de votre entreprise, et voyez quelles modifications en résulteraient. Vous conclurez peut-être que le développement n'est pas forcément une bonne chose. Comment est-ce possible? Si vous devez ajouter de la main-d'œuvre, augmenter la surface de vos locaux et acheter des nouveaux équipements, il se peut que votre entreprise devienne moins profitable qu'elle ne l'est aujourd'hui. Même s'il «semble» que vous ferez plus d'argent, le jeu n'en vaut peut-être pas la chandelle. Ce qui peut vous intéresser, par contre, est une croissance différentielle qui génère de plus gros bénéfices avec moins d'efforts. Vous devrez peut-être redoubler d'effort à court terme, mais avec le temps, vous pourrez constater les bénéfices de votre travail.

Amener votre entreprise au prochain niveau de croissance ne représente pas toujours un aussi gros défi qu'on pourrait le croire. En fait, ce peut être très amusant et gratifiant. Votre expérience d'entrepreneur, votre expertise dans votre secteur d'activité et votre désir de réussite sont les facteurs clés qui vous aident à prendre vos décisions. Pour ma part, mon travail de conseillère financière consiste à m'assurer que vous vous posez toutes les questions nécessaires (surtout les plus difficiles) et à vous aider à employer efficacement votre plan d'affaires. N'oubliez pas que vous n'êtes pas seul lorsque vient le moment de prendre des décisions importantes. Comme je le répète tout au long de ce livre, vous devez vous appuyer sur l'équipe de professionnels que vous avez réunis pour vous aider à gérer votre entreprise: votre banquier, votre comptable, votre conseiller juridique, votre conseiller en marketing. Demandez aussi conseil à vos amis, aux membres de votre famille et à vos mentors. Puis prenez votre décision et lancez-vous dans la voie que vous avez choisie!

CHAPITRE 9

Internet et les affaires

Comment pouvait-on survivre avant l'arrivée d'Internet? Même les gens qui, il y a quelques années à peine, ne connaissaient rien de l'informatique et ne possédaient pas d'ordinateurs communiquent maintenant par courrier électronique avec des correspondants un peu partout sur la planète, commandent leur épicerie d'un site Web et surfent sur le Net pour se distraire. Les entreprises qui ne sont pas encore en ligne risquent d'être laissées-pour-compte dans un marché de plus en plus informatisé. Heureusement, les propriétaires de petites entreprises ont tendance à adopter rapidement cette nouvelle technologie. Ils s'intéressent à tout ce qui peut améliorer leurs affaires en leur faisant gagner temps et argent et leur permettre de rejoindre leurs clients plus facilement ou d'agrandir leur clientèle. C'est pourquoi ils sont habituellement parmi les premiers à utiliser les nouvelles technologies.

Votre ordinateur contient le cœur de votre entreprise : le courrier, la facturation, la comptabilité, les dossiers de production et du personnel, etc. Vous l'utilisez pour avoir accès à Internet et effectuer vos opérations bancaires, de la recherche, des ventes et de la promotion. En fait, beaucoup de gens gèrent des entreprises virtuelles qui n'existent que sur le Net. Internet est idéal pour les propriétaires de petites entreprises, mais il peut aussi parfois poser problèmes. Voyons d'abord ce qu'Internet peut faire pour vous.

Une efficacité accrue

Internet peut accroître votre efficacité de diverses manières :

- La recherche en ligne fait gagner énormément de temps. Vous pouvez découvrir les activités de vos concurrents locaux et internationaux. Il est facile aussi de chercher de nouveaux fournisseurs et de vous renseigner sur les possibilités de nouveaux marchés. Le principal avantage d'Internet est qu'il n'est jamais fermé : le réseau est toujours disponible quand cela vous convient.
- Les opérations bancaires en ligne vous font gagner beaucoup de temps : plus besoin de faire la queue à la banque ou au guichet automatique pour obtenir le même résultat. En effet, vous pouvez payer vos factures, transférer de l'argent d'un compte à un autre et vérifier vos soldes. Il vous est possible de savoir à la minute près quels chèques ont été encaissés et quels clients ont payé directement dans votre compte : c'est donc un excellent outil de gestion des liquidités. La gamme des opérations maintenant offertes s'est considérablement enrichie en peu de temps et continuera vraisemblablement sur cette lancée. Il est également possible d'acquitter vos taxes et impôts en ligne, de suivre et gérer vos placements et de correspondre avec votre courtier. Toutes les banques au Canada possèdent des sites Web affichant leurs différents services. Près de la moitié des propriétaires de petites entreprises se servent d'Internet pour commander des fournitures, transférer de l'argent et gérer leurs liquidités.
- Le courrier électronique est un moyen extraordinaire de garder le contact avec vos clients et fournisseurs : finis les chassés-croisés téléphoniques ! Quand vous commencez à l'utiliser systématiquement, vos frais d'appels interurbains baissent considérablement. Et en cas de malentendus ou de différends, vous pouvez toujours vous référer aux archives électroniques de votre correspondance.
- Les affaires en ligne sont efficaces et économiques. Vous pouvez passer des commandes en fin de soirée et elles seront lues le lendemain matin. Vous pouvez aussi aviser vos clients que leurs commandes ont été envoyées.

La recherche

Internet représente un énorme atout pour la recherche parce qu'il peut vous emmener, au moment qui vous convient, à des endroits auxquels vous n'auriez jamais accès autrement. Nombreux sont les propriétaires d'entreprises qui utilisent Internet pour faire de la recherche et s'informer sur les nouveaux produits et services, leurs concurrents, les fournisseurs, les questions fiscales, le processus d'embauche d'un employé ; en gros, sur tout ce qui peut concerner leur entreprise jusqu'à tout ce qui se passe dans le monde des affaires. Le Net peut augmenter leurs connaissances des domaines qui leur sont essentiels.

Lorsque vous surfez sur le Net, vous découvrez qui sont vos concurrents dans votre petit coin du monde, mais aussi un peu partout sur la planète. Vous pouvez ainsi vous inspirer de certaines de leurs idées pour les appliquer dans votre entreprise. L'imitation n'est pas simplement une forme de compliment, mais aussi souvent une bonne affaire !

Près du quart des entrepreneurs utilisent Internet pour mettre à jour ou accroître leurs connaissances ou suivre une formation. Le principal attrait du Net est que vous avez accès à l'information quand cela vous convient : vous n'êtes donc pas soumis aux horaires des collèges ou autres institutions d'enseignement. Un cours susceptible d'intéresser les propriétaires de petites entreprises est offert à www.uvpme.org. Consultez les Ressources à la fin de ce livre pour trouver d'autres sites Web qui vous aideront dans vos recherches.

L'accès

Que vous vouliez ou non utiliser Internet pour y faire du commerce électronique, vous devriez envisager d'y créer un site Web pour votre entreprise. C'est une excellente façon de faire connaître votre existence à des clients potentiels. Vous recevrez divers conseils des gens de votre entourage au sujet de la construction de votre site Web, de votre voisin vous recommandant son frère pour ce travail à certains suggérant d'engager un professionnel qui s'en chargera, ou encore, de le faire vous-même. Pour environ deux cents dollars, vous pouvez obtenir un site Web pour votre entreprise. En outre, un logiciel conçu pour les petites entreprises, Microsoft bCentral, peut vous aider à concevoir votre site Web (visitez son site à www.bcentral.com ou à www.bcentral.fr pour son site en français (France). Il comprend des éléments pour le commerce et le marketing électroniques, les finances, l'agenda électronique, etc. Pour une mise de départ de moins de cinq cents dollars et des frais mensuels de trente-cinq dollars, votre site peut être rapidement fonctionnel. L'avantage d'utiliser ce logiciel pour créer un site Web ou une vitrine virtuelle réside dans le fait que tous les bogues ont été réglés et qu'il prend en considération les principes de base de la conception de sites Web: quelle quantité de texte devrait paraître sur une page, comment et où sont placés les boutons et les liens, etc.

Les brochures électroniques. Une façon d'établir votre entreprise dans Internet est de créer un site Web ayant la même fonction que la brochure d'information de votre entreprise. Ce site donnera des renseignements sur vos activités, vos produits ou services, et surtout, vos coordonnées (téléphone, courrier électronique, adresse). Vos clients ne peuvent pas acheter vos produits sur ce site d'information, quoiqu'il existe un logiciel qui transforme votre site brochure en un site où les gens peuvent passer des commandes. Pour beaucoup d'entreprises, ce moyen constitue la plus récente tactique de communication avec leur clientèle. Il est toutefois important d'assurer le renouvellement constant des informations affichées, afin que le site soit toujours à jour.

Le design de vos pages Web est très important; pendant que vous les concevez, ne perdez pas de vue les objectifs de votre site. Les questions suivantes peuvent vous aider à les définir:

- Qui voulez-vous atteindre?
- Un aspect du contenu est-il limitatif, ce qui exclut des clients potentiels?

- Est-il facile pour des clients d'autres pays de commander vos produits?
- Y a-t-il un outil qui convertit les différentes monnaies?
- Vaut-il mieux afficher tous les prix en dollars US et n'accepter que des paiements dans cette monnaie?
- Quelle est votre politique de retours?

Avant de lancer votre site Web en ajoutant votre adresse Web (URL) à vos cartes d'affaires et à votre papeterie et en l'inscrivant en grosses lettres sur vos camions de livraison, demandez à quelques-uns de vos clients dont vous estimez le jugement d'en faire l'essai. Ils sont représentatifs des gens qui visiteront votre site, et s'il est pratique pour eux, il le sera pour la plupart de vos autres clients. Si les visiteurs de votre site ne peuvent ni lire le texte, ni obtenir la page qu'ils désirent, ni comprendre à quel endroit cliquer, ils n'y resteront pas longtemps et ne risquent pas d'y revenir. Après ces essais, vous découvrirez peut-être que la façon de lister vos produits ou la disposition de la page des commandes ne sont pas utiles pour vos clients (ce l'est peut-être pour vous, mais ce n'est pas ce qui compte).

Les entreprises de services. Si vous vendez des services, organisez votre site afin de pouvoir suggérer aux clients potentiels d'autres services dont ils pourraient avoir besoin. Si vous êtes avocat ou notaire, par exemple, et que quelqu'un visite votre site pour obtenir des renseignements sur la préparation d'un testament, vous pouvez ajouter des liens à d'autres pages que vous avez préparées et qui traitent de questions connexes comme la planification successorale et les assurances. Vous fournissez ainsi à vos clients potentiels plus d'informations utiles, ce qui donne une bonne image à votre entreprise.

Certaines entreprises affichent même des liens vers les sites de leurs concurrents! Ils font cela parce qu'ils occupent un créneau particulier (sur le plan des prix ou de la spécialité) et savent qu'ils ne perdent pas de ventes en dirigeant les visiteurs vers des commerçants qui vendent des produits plus ou moins chers que les leurs. Par exemple, le site d'un magasin de guitares de Toronto fournit des liens vers des marchands de guitares se spécialisant dans les guitares haut de gamme, produits qui ne sont pas en vente dans ce commerce.

Servez-vous de votre site Web pour effectuer des sondages afin de savoir ce que vos clients, ou clients potentiels veulent vraiment de votre entreprise. Vous pouvez ajouter les témoignages de clients satisfaits : cela donne de la crédibilité à votre entreprise.

Votre site Web pourrait bien être l'employé qui vous coûtera le moins cher.

Le soutien. L'utilisation d'Internet peut réduire vos frais généraux, vous faire épargner du temps et vous faire gagner plus d'argent. Si vous êtes dans une aire géographique différente de celle de la plupart de vos clients, Internet est une excellente façon de les atteindre. Peu importe si vous utilisez Internet seulement pour le courrier électronique ou vos transactions bancaires, ou même pour toutes vos affaires : il est important pour vous de dénicher un technicien qui pourra devenir votre gourou informatique. Si la technique n'est pas votre point fort et ne vous intéresse pas, vous aurez éventuellement besoin d'assistance technique. Discutez-en avec d'autres utilisateurs qui se servent d'Internet de la même manière que vous. Le technicien que vous choisirez doit accepter de venir chez vous pour régler les problèmes, installer les nouveaux logiciels et équipements, vous tenir au courant des derniers développements en matière de détection des virus informatiques et prévenir ou répondre à vos autres besoins. Ensemble, vous constituez une équipe du tonnerre : lui, avec ses compétences et sa connaissance du monde informatique, et vous, avec votre expertise de gestion d'entreprise.

Comment vous trouver facilement sur le Net ?

Comment les gens peuvent-ils vous trouver dans le gigantesque univers d'Internet ? En utilisant des moteurs de recherche, c'est-à-dire

DIX CONSEILS POUR RÉUSSIR DANS INTERNET

1. Ne rendez pas votre page d'accueil (la première page) inutilement mystérieuse. Elle doit être informative : l'identité de votre entreprise et ses activités doivent être claires. Incluez les nom, adresse et logo de votre entreprise sur chaque page de votre site. Si possible, faites du logo le lien pour retourner à la page d'accueil.
2. Mettez votre numéro de téléphone bien en évidence pour que les gens n'aient pas de difficulté à vous appeler. Un numéro sans frais peut représenter un investissement profitable pour une entreprise sur le Net.
3. Si votre site a une certaine envergure (plus de 50 pages), fournissez la possibilité de faire une recherche dans le site.
4. Soyez direct : utilisez un langage simple et convivial. Beaucoup de visiteurs ne connaissent pas le jargon de votre entreprise et de votre secteur d'activité. Rédigez le texte au plus petit dénominateur commun afin d'attirer le plus grand nombre de clients potentiels. Choisissez des titres et des sous-titres qui énoncent clairement le contenu de la page.
5. Rendez les pages très lisibles, pour que les visiteurs puissent les parcourir rapidement. Utilisez beaucoup d'espace et ne remplissez pas trop les pages. Répartissez l'information en blocs de texte précédés de rubriques en caractères gras.

des programmes tels que Alta Vista et Google qui indexent des millions de sites Web et permettent aux internautes utilisant un navigateur Web de rechercher de l'information selon différents paramètres (en se servant de mots-clés) et d'avoir accès à l'information ainsi trouvée. Les répertoires de recherche ont un rôle semblable : ils se présentent sous la forme d'inventaires, accessibles au moyen d'hyperliens, dans lesquels les sites référencés sont classés par catégories tels que LookSmart, Open Directory et Yahoo !.

Pour que votre site Web soit inclus dans les listes des moteurs et des répertoires de recherche, vous devez l'enregistrer dans chacun d'eux. Allez sur leur site Web respectif et suivez les instructions pour l'enregistrement de site. Cette démarche peut prendre de quelques

6. Évitez les pages à long défilement: seulement 10% des gens regardent plus bas que l'image apparaissant à l'écran. Placez toujours l'information la plus importante au haut de la page. Et plutôt que de tout mettre sur la même page et de l'encombrer inutilement, utilisez des liens pour structurer le contenu afin que les lecteurs puissent trouver rapidement les détails dont ils ont besoin.
7. Invitez les internautes à communiquer avec vous par courrier électronique, mais définissez une zone de réponse allouant des messages d'un certain nombre de mots seulement. Vous n'apprécieriez pas être submergé par une correspondance trop longue.
8. Nivelez vos promesses par le bas. Affichez sur votre site une promesse de réponse aux courriels dans un délai de 48 à 72 heures. Puis essayez d'y répondre dans les 24 à 48 heures: vous projetterez ainsi une très bonne image de votre entreprise.
9. Révisez souvent votre site et gardez-le à jour. Si votre information est désuète ou inexacte, vous diminuez vos chances d'attirer les habitués.
10. Vous perdrez des visiteurs si n'importe quelle partie de votre site requiert plus de dix secondes de chargement. C'est le temps maximum que les gens attendront pour le téléchargement d'une page Web. Demandez à vos amis de chronométrer les temps d'attente lorsqu'ils feront l'essai de votre site.

semaines à quelques mois; il faut donc la prévoir à l'avance.

Les internautes pourront aussi arriver jusqu'à votre site si vous le reliez à d'autres sites: par exemple, ceux de vos fournisseurs, de vos clients, des organismes et associations ayant un certain rapport avec votre entreprise. Demandez s'ils vous autorisent à établir sur votre site des liens vers leurs pages Web et s'ils veulent faire la même chose pour vous. Vous montez ainsi graduellement un réseau électronique ressemblant à celui que vous avez constitué avec vos conseillers et vos relations d'affaires.

La préparation aux affaires en ligne

Afin de pouvoir vendre vos produits dans Internet, vous avez besoin d'un moyen d'encaisser l'argent de vos ventes. Bien sûr, vous pouvez recourir au bon vieux système du «chèque par la poste», mais cela semble annuler les avantages de faire des affaires en ligne.

Au chapitre 2, je décris la manière d'obtenir un compte de marchand vous permettant d'accepter des transactions réglées par cartes de crédit. Vous pouvez étendre ce mode de paiement à votre site Web ; discutez-en d'abord avec votre banquier, qui doit être avisé de votre intention de faire des ventes en ligne payées par cartes de crédit.

Bref, vous devrez payer un taux d'escompte de marchand un peu plus élevé pour les ventes en ligne parce que les bordereaux de transaction ne sont pas signés. À l'avenir, cet inconvénient disparaîtra, car le commerce électronique devient très important et on désire aplanir tous les obstacles qui pourraient l'entraver.

La banque vous demandera de confirmer que votre site présente une information claire sur la façon de communiquer avec vous, vos frais de livraison et votre politique concernant les retours, renseignements que toute entreprise électronique respectable affiche d'office sur son site.

Auparavant, certaines personnes avaient de la difficulté à obtenir un compte de marchand pour faire des affaires dans Internet. Mais puisque ces transactions sont de plus en plus courantes et que la sécurité en ligne s'améliore, le nombre de ventes faites par commerce électronique augmentera davantage et il devrait être plus facile d'avoir l'autorisation des institutions émettrices de cartes de crédit. Une des réserves est que, pour les ventes en ligne, on n'obtient ni l'empreinte de la carte ni la signature de l'acheteur qui confirme ainsi son intention de payer. Heureusement, les signatures en ligne seront bientôt possibles. Prenez donc les mesures nécessaires pour que votre site Web puisse accepter les paiements par cartes de crédit : cela réduira le temps que vous consacrez à l'administration et au recouvrement.

La gestion d'une entreprise en ligne

Internet apporte un complément aux activités de votre entreprise : il vous permet d'agrandir votre marché, de trouver de nouveaux clients et de nouveaux fournisseurs. Mais certaines personnes ne possèdent qu'une entreprise virtuelle : ils n'ont ni bureau ni magasin et ne font que du commerce électronique. Démarrer une entreprise virtuelle est plus compliqué que d'implanter dans Internet une entreprise déjà établie. Vous savez maintenant qu'à peu près n'importe qui peut créer sa page Web et proclamer qu'il est prêt à traiter des affaires. Mais vos clients potentiels ont besoin de l'assurance que votre entreprise mérite leur confiance et qu'elle tient ses promesses. Cela peut être un obstacle difficile à surmonter.

Cherchez des partenaires dont les entreprises complètent la vôtre et reliez votre site Web aux leurs. Un petit hôtel, par exemple, peut inclure sur son site des liens vers une agence locale de location de voitures ainsi que des musées, magasins et associations touristiques de sa région.

Accordez aussi des rabais aux gens qui ont recours à vos services ou achètent vos produits après avoir visité votre site. Offrez un coupon rabais en ligne, que vos clients peuvent imprimer puis apporter ou expédier à votre magasin ou bureau. Cette mesure vous aide à connaître la provenance de vos clients et à savoir si votre site contribue à votre chiffre d'affaires. Bien sûr, les courriers électroniques des clients sont une autre indication de l'efficacité de votre site. Certains magasins en ligne n'affichent pas leurs prix sur leur site, en partie pour inciter les visiteurs intéressés à envoyer un courriel, et en partie aussi parce que les prix de leurs produits ou services sont négociables.

Internet constitue un excellent outil de gestion de votre service à la clientèle. De nos jours, les gens ont plutôt tendance à utiliser le courrier électronique que le téléphone pour poser des questions et passer des commandes. Vous devez donc suivre de près l'arrivée de tous les courriels. Établissez un mécanisme de réponse automatique qui envoie un accusé de réception et l'assurance d'une réponse. Veillez également à ce que cette réponse ne tarde pas trop : des questions en temps réel exigent des réponses en temps réel.

Si vous possédez une entreprise virtuelle, vous devez affronter des défis supplémentaires : Internet est le seul moyen dont vous disposez pour rejoindre vos clients, à moins que vous ne décidiez d'annoncer ailleurs. Mais la publicité peut coûter très cher, sauf si vous savez comment atteindre vos marchés cibles. Par ailleurs, les gens que vous tentez d'intéresser sont des internautes : à mesure que le nombre de gens ayant accès à Internet augmente, vos possibilités d'y faire des affaires augmentent.

Si vous êtes en train d'implanter votre entreprise sur le Net ou d'y transférer une partie de vos activités, ne vous laissez pas tenter par de longues explorations de sites Web afin de découvrir quantité de gadgets que vous pourriez ajouter sur votre propre site. La meilleure approche consiste à ne pas trop charger la présentation de votre vitrine virtuelle.

La sécurité

La sécurité dans Internet est moins problématique qu'auparavant. Néanmoins, vous devez fournir à vos clients toutes les garanties que l'information qu'ils vous confient ne sera pas divulguée. Ces renseignements qui doivent être protégés sont non seulement les numéros de cartes de crédit, mais aussi des informations confidentielles concernant leurs transactions commerciales avec votre entreprise. Discutez-en avec votre technicien informatique, qui vous conseillera sur les plus récentes techniques pour assurer la sécurité de toutes vos transactions en ligne. En outre, familiarisez-vous avec les risques potentiels. De nombreux clients vous feront part de leurs inquiétudes et voudront savoir si votre site leur offre toute la sécurité que fournit la technologie de pointe. Si vous confiez à un autre la création de votre site Web, choisissez une personne de confiance possédant la compétence et l'expérience nécessaires. Si vous préférez créer vous-même votre propre site afin d'éviter des frais additionnels, vous devriez au moins engager un service de création de sites Web pour qu'il tente de le pirater et d'en vérifier la sécurité. Cela sera une dépense profitable, puisque vous pourrez ainsi démontrer à vos clients que vous avez mis en place des mesures de sécurité à toute épreuve. Créez aussi une page à part sur votre site Web qui détaille le logiciel installé et les mesures prises pour prévenir la fraude. D'ailleurs, lorsque vous utilisez un programme de sécurité reconnu, vous recevez par la suite toutes ses mises à niveau.

Le domaine de la technologie qui s'occupe de la protection des transactions en ligne évolue rapidement et s'améliore constamment. Il est possible qu'au moment où vous lisez ce livre, certaines informations soient obsolètes; l'important, toutefois, est de savoir que l'implantation de votre entreprise dans Internet peut être très profitable.

L'avenir

Les affaires dans Internet continueront de se développer. Déjà, de nombreux entrepreneurs règlent leurs fournisseurs en ligne et acceptent de leurs clients des paiements par cartes de crédit effectués en ligne. Ils peuvent aussi recevoir des messages de leur banque sur leur téléphone cellulaire, les avisant d'un gros retrait ou d'un dépôt dans leur compte. Ces innovations sont autant de raisons de garder le contact avec votre banquier, car vous pourrez décider dès leur sortie quels services électroniques peuvent s'avérer utiles à votre entreprise.

Chapitre 10

Les états financiers

Le chapitre 4 parle de l'importance d'avoir un plan d'affaires solide. Vous avez également besoin d'une bonne manière d'évaluer votre succès, afin de savoir si vos plans et vos activités vous ont permis d'atteindre vos objectifs tel que prévu. Cela peut être réalisé de diverses façons, par exemple en évaluant la satisfaction de vos clients, celle de vos employés ainsi que la vôtre. L'augmentation de la clientèle de votre entreprise ou l'argent que vous rapportent vos affaires peuvent également être des indicateurs de succès. Vos états financiers constituent un outil de plus qui vous aide à déterminer si vous avez adopté une stratégie gagnante pour vous et vos clients.

Vous pouvez décider de la fréquence à laquelle vous préparerez vos états financiers, mais il est nécessaire de le faire au moins une fois par année. En fait, chaque fois que vous ou votre aide-comptable faites une écriture comptable dans votre grand livre, vous travaillez à une partie de vos états financiers. À la fin de chaque journée ou de l'année financière, vous pouvez constater l'impact de chacune de ces écritures et constater leurs effets cumulatifs. Vous savez ce que vous attendez de votre entreprise, et les états financiers vous montrent si vous avez atteint votre but. Or, le plus important au sujet des états financiers n'est pas de se demander à quelle fréquence on doit les préparer, mais plutôt les raisons pour lesquelles on le fait. Par exemple, ils peuvent :

1. contribuer à déterminer vos sources de revenus,
2. vous faire épargner de l'argent, y compris des impôts,
3. vous faire voir si vous perdez de l'argent ou des possibilités d'affaires,

4. servir à mieux vous informer au sujet des affaires de votre entreprise,
5. vous aider à obtenir des prêts auprès des banques ou d'autres prêteurs (p. ex.: des membres de votre famille ou des investisseurs providentiels; voir le chapitre 3).

La structure de votre entreprise et la comptabilité fiscale

Avant de décrire plus en détail les états financiers, examinons chaque type de structures légales d'entreprise (voir aussi le chapitre 2) en matière de fiscalité.

L'entreprise individuelle

- L'entreprise individuelle doit être inscrite aux fichiers de la TPS et de la TVQ si son revenu imposable dépasse 30 000$. Reportez-vous au chapitre 2 pour l'information sur la façon de demander les numéros de TPS et de TVQ.
- Un propriétaire d'entreprise individuelle paie ses impôts en inscrivant les bénéfices (ou les pertes) de son entreprise dans sa Déclaration de revenus et de prestations personnels. Les bénéfices ou les pertes de l'entreprise constituent une partie du revenu global annuel du propriétaire de l'entreprise individuelle. Vos déclarations de revenus doivent inclure un «État des résultats des activités d'une entreprise», qui indique les bénéfices et les pertes de l'entreprise.
- Le propriétaire d'entreprise individuelle peut être obligé de payer ses impôts par acomptes provisionnels.
- Vous devez produire vos déclarations de revenus avant le 30 avril chaque année, mais les petites entreprises peuvent attendre jusqu'au 15 juin pour le faire. Cependant, l'échéance des soldes d'impôts exigibles est le 30 avril. Si vous les réglez plus tard, vous devrez payer des intérêts.

La société de personnes

- La société de personnes ne paie pas elle-même d'impôts sur le revenu ni ne produit de déclarations de revenus annuelles. Chacun de ses associés inclut une partie des bénéfices (ou pertes) de la société de personnes dans ses déclarations de revenus personnels, de sociétés ou de fiducie, selon le cas.
- Chaque associé a l'obligation de joindre les états financiers de la société de personnes à sa déclaration de revenus, qu'il reçoive sa part des bénéfices en argent ou sous forme de crédit à son compte de capital de la société de personnes.
- La société de personnes doit posséder des numéros de TPS et de TVQ et produire des déclarations de TPS et de TVQ, en y joignant le paiement des taxes si nécessaire.
- Les associés de la société devront peut-être verser des acomptes provisionnels d'impôt trimestriellement ou annuellement.
- La date de production des déclarations de revenus de la société de personnes varie selon le type de la société. Vérifiez cela avec votre comptable.

PÉRIODES DE DÉCLARATION DE TPS ET DE TVQ

Ventes taxables annuelles de 500 000$ ou moins	annuelle
Ventes taxables annuelles de 500 000$ à 6 000 000$	trimestrielle
Ventes taxables annuelles de plus de 6 000 000$	mensuelle

La société de capitaux

- En tant qu'entité juridique, la société de capitaux doit payer des impôts et doit donc produire ses propres déclarations de revenus.
- La société de capitaux doit aussi être inscrite aux fichiers de la TPS et de la TVQ si ses revenus annuels dépassent 30 000$.
- Une société de capitaux doit produire une déclaration de revenus des sociétés dans les six mois de la fin de chaque exercice financier, même si elle ne doit pas d'impôts. Les états financiers complets et les tableaux comptables requis doivent être inclus.
- La société de capitaux paie ses impôts par versements mensuels:

votre comptable vous expliquera si ces versements sont requis dans votre cas et les dates où il faut les faire, le cas échéant.

- Les sociétés de capitaux ont des périodes de déclaration de TPS et de TVQ qu'elles doivent respecter.

L'anatomie des états financiers

Des états financiers complets comportent généralement les quatre éléments suivants:

1. un bilan,
2. un état des résultats,
3. un état des flux de trésorerie,
4. un état des bénéfices non répartis.

L'accent sera mis ici sur les premier et deuxième éléments.

Le bilan

Les gens préparent souvent leur propre bilan personnel (liste de tout ce qu'ils possèdent et de tout ce qu'ils doivent) afin d'avoir une idée de la valeur nette de leurs finances. Le bilan de votre entreprise vous indique ce qu'elle possède, ce qu'elle doit, et si la différence entre les deux est positive ou négative. Autrement dit, c'est un instantané qui montre à une date donnée la valeur nette de votre entreprise. C'est un document qui, contrairement au plan d'affaires, couvre le passé plutôt que l'avenir. Pourquoi se préoccuper de la situation financière de votre entreprise à une date donnée de l'année? Le bilan est un outil utile parce qu'il vous aide à évaluer la validité de vos projections et des objectifs que vous espériez atteindre. Vous pouvez ainsi mesurer tout le chemin parcouru, votre position par rapport à vos attentes et si vous avez dépassé, ou pas encore atteint, vos objectifs financiers.

Votre bilan montre donc votre actif (comptes clients, liquidités, valeur comptable des équipements et des propriétés immobilières), votre passif (ce que vous devez) et la différence entre les deux (la valeur nette). Puisque le bilan est habituellement fait le même jour chaque année, il vous fournit une comparaison réaliste et raisonnable d'une année à l'autre. Nombre d'entrepreneurs préparent des états financiers intermédiaires chaque mois afin d'obtenir plus d'information et de se donner l'occasion de réagir plus rapidement. Le bilan n'illustre pas le chemin parcouru ni les objectifs à atteindre. Vous ne pouvez pas non plus dégager de tendances en étudiant seulement le bilan: il n'est qu'une pièce du puzzle. Avant de discuter des autres pièces, examinons les détails du bilan et leur signification.

L'ACTIF comprend les biens et les objets de valeur que possède votre entreprise.

moins

LE PASSIF représente ce que votre entreprise doit (les dettes).

égale

LA VALEUR NETTE (avoir des propriétaires ou des actionnaires, selon le type d'entreprise) est la différence entre ce que votre entreprise possède et ce qu'elle doit.

Le bilan est divisé en trois sections: actif, passif et valeur nette. Les bilans peuvent présenter ces trois sections à gauche et à droite (l'actif à gauche, le passif et la valeur nette à droite) ou de haut en bas (l'actif en haut suivi du passif puis de la valeur nette). Le total de l'actif doit toujours être égal à la somme du passif et de la valeur nette (capitaux propres).

Le bilan doit toujours être en équilibre:
actif = passif + valeur nette.

Les capitaux propres Vos capitaux propres sont déterminés par l'équation actif-passif: le total de l'actif moins le total du passif égale la valeur nette, c'est-à-dire vos capitaux propres (avoir des propriétaires ou des actionnaires, selon le cas). Le propriétaire d'une entreprise individuelle a une valeur nette ou un avoir de propriétaire puisqu'il est le seul propriétaire de l'entreprise. Dans le cas des sociétés de capitaux, on parle de l'avoir des actionnaires, puisque l'entreprise est la propriété des actionnaires. Si vous possédez la totalité des actions de votre société de capitaux, vous possédez également la totalité de l'avoir des actionnaires. Si vous et votre conjoint êtes propriétaires de l'entreprise respectivement à 60 % et à 40 %, l'avoir des actionnaires sera réparti selon cette proportion.

Les capitaux propres des actionnaires sont divisés en deux catégories : le capital-actions et les bénéfices non répartis. Le capital-actions représente l'ensemble des sommes mises de façon permanente à la disposition d'une société par les actionnaires sous forme d'apports au moment de sa constitution ou au cours de son existence. Les bénéfices non répartis sont constitués du total de tous les bénéfices (ou pertes) de l'entreprise après impôts. En effet, chaque année, les bénéfices s'y ajoutent ou les pertes en sont soustraites. Les bénéfices non répartis restent dans l'entreprise où ils pourront être utilisés pour contribuer à son exploitation, permettre son développement et investir dans de nouvelles entreprises.

Des dividendes peuvent être puisés dans les bénéfices de l'entreprise pour être payés aux actionnaires. Si vous possédez 100 % de l'entreprise, vous pouvez décider de vous verser des dividendes plutôt qu'un salaire ou une prime. Chaque rémunération a des incidences fiscales différentes sur la déclaration de revenus.

L'état des résultats

Si le bilan représente un instantané de la situation financière de votre entreprise, l'état des résultats ressemble à un long film qui conduit jusqu'à cette image. C'est-à-dire qu'il montre, pour tout l'exercice financier, l'activité financière qui a précédé la prise de photo, le dernier jour (par exemple, le 31 décembre). Il illustre les efforts financiers que vous avez dû fournir pour arriver à cette date donnée. Il indique le bénéfice ou la perte qui ressort de l'exercice financier de l'entreprise en comparant les revenus avec les charges encourues pour générer ces revenus.

L'état des résultats est disposé de la façon suivante : les ventes nettes en haut, suivies du coût.

Le coût des ventes

Pour une entreprise de services, le coût des ventes représente les coûts afférents à la vente des services. Mais pour une entreprise de fabrication, le coût des ventes comprend les coûts des matières premières et les coûts reliés à l'exploitation de l'usine où sont fabriqués les produits avec ces matières premières. Le coût de la main-d'œuvre et les coûts indirects de production sont inscrits séparément. Du coût des ventes total, vous soustrayez la valeur des stocks invendus afin d'obtenir le profit brut.

Les charges d'exploitation

Les entreprises de services tout comme les entreprises manufacturières ont des charges d'exploitation à inclure dans leur comptabilité. Sous la rubrique des frais de gestion, vous inscrivez des charges comme les coûts de la réception d'appels téléphoniques, de l'électricité, de la papeterie, des fournitures de bureau, les coûts liés aux déplacements tels que l'essence et les transports publics, les coûts de réparation du matériel informatique, etc. Toutes ces charges sont additionnées et le total paraît au bas de cette rubrique. Sous la rubrique des charges d'exploitation figure celle des amortissements.

Vous ajoutez aussi, sous des rubriques distinctes, votre bénéfice d'exploitation (la différence entre votre profit brut et vos charges d'exploitation) et vos autres recettes ; soustrayez les autres charges (p. ex. : paiements des intérêts hypothécaires) afin d'obtenir votre bénéfice net avant impôts. Puis soustrayez les impôts de ce montant pour obtenir votre bénéfice net après impôts à la dernière ligne de votre état des résultats.

Tout comme le bilan, l'état des résultats est généralement préparé une fois par année, à la fin de l'exercice financier. Mais lorsqu'une entreprise est en période de croissance ou traverse une période difficile (comme le verglas de 1998), son propriétaire peut décider qu'il a besoin d'états des résultats trimestriels, ou même mensuels, pour arriver à suivre la situation de près. Par contre, si votre entreprise a peu de coûts variables, un seul état des résultats par exercice financier est suffisant.

Il est possible que votre banquier vous réclame un état des résultats à un moment autre que celui de sa préparation habituelle. Cela peut découler de l'une ou l'autre des raisons suivantes : il voit se profiler un resserrement financier dans l'avenir de votre entreprise, ou vous avez ajouté une nouvelle gamme de produits ou services, ou encore, votre entreprise entre dans une nouvelle phase de croissance. Cependant, si vous avez toujours suivi de près la situation de votre entreprise, vous saurez probablement bien avant votre banquier que vous devez faire certains changements. Plus vous êtes au fait de tous les détails de la situation de votre entreprise, et plus votre banque aura confiance en vous.

Les états financiers

Votre comptable peut préparer les états financiers de votre entreprise selon l'une des trois formes suivantes :

1. *Compilation.* Les états financiers non vérifiés sont colligés dans un but précis. Ils doivent être indiqués comme tels, car si on les utilisait dans d'autres buts, ils pourraient être trompeurs. Le comptable utilise l'information fournie par son client, mais les principes comptables généralement reconnus (PCGR) n'ont pas à être appliqués et tous les renseignements ne se doivent pas d'être précis. Le comptable préface le rapport d'un « Avis au lecteur » pour l'avertir que le rapport contient seulement des informations restreintes qui n'ont pas été vérifiées par le comptable. Ce type de service ne fournit aucune garantie au lecteur sur la fiabilité des états financiers.

2. *Mission d'examen.* Pour s'assurer que les états financiers sont plausibles, le vérificateur les examine, surtout grâce à des discussions avec son client et aux questions qu'il lui pose. Ce n'est pas une méthode aussi rigoureuse qu'une vérification, mais c'est suffisant pour les besoins de la plupart des propriétaires de petites entreprises : entre autres, l'emprunt d'argent et la recherche d'investisseurs. Ces rapports sont préparés à partir des informations présentées au comptable et selon les PCGR. Ce type de service confère aux états financiers un plus haut degré de fiabilité qu'une compilation.
3. *États financiers vérifiés.* Pour les préparer, le vérificateur a passé en revue les registres financiers et les transactions de l'entreprise. Le vérificateur examine à fond vos dossiers et prend contact avec vos fournisseurs, vos clients et votre banque pour confirmer que les fournitures achetées, les factures payées et les soldes bancaires sont conformes à ce qui est indiqué dans votre comptabilité. Ce type de service donne le plus haut degré de crédibilité aux états financiers.

Votre banquier et vos états financiers

Quand votre banquier demande à voir vos états financiers, il veut habituellement voir ceux des deux ou trois derniers exercices financiers afin de pouvoir juger de l'évolution de votre entreprise. L'information des états financiers de chaque année couvre souvent les activités de deux exercices financiers : si vous pouvez fournir deux états financiers à votre banquier, il aura ainsi en main l'équivalent de trois exercices financiers de votre entreprise.

La plupart des entrepreneurs ne fournissent leurs états financiers à leurs banques que lorsqu'ils veulent obtenir du financement. Mais il peut être avantageux pour vous de donner vos états financiers à votre banquier avant même que vous ayez besoin d'argent : cela peut contribuer à créer entre vous une relation dépassant largement les demandes de prêts. Votre banquier peut alors vous faire des suggestions dans des domaines que vous n'avez pas encore explorés ou qui sont trop près de votre entreprise pour être évidents. Il peut aussi déceler avant vous d'éventuels besoins de financement supplémentaire parce que vos liquidités se réduisent pendant la croissance de votre entreprise.

Vos états financiers semblent bien arides, et pourtant ils renferment une mine de renseignements précieux. Prenez le temps d'apprendre à tirer parti des renseignements mis au jour lorsque vous les mettez en corrélation entre eux ou avec votre plan d'affaires.

Les tableaux des pages suivantes vous donnent un bref aperçu des principaux éléments des états financiers, de ce que vous devriez savoir et de la manière dont vous pouvez utiliser cette information à votre avantage.

Modèle de bilan d'une entreprise manufacturière
SOCIÉTÉ MANFACO
Bilan
Au 31 décembre
(en milliers de dollars)

	2001	2000
ACTIF		
Actif à court terme		
Espèces	12 $	2 $
Comptes clients	72	80
Stocks	168	153
Total de l'actif à court terme	252	235
Immobilisations		
Équipements	64	64
Moins amortissement cumulé	30	15
Montant net des équipements	34	49
TOTAL DE L'ACTIF	286	284
PASSIF		
Passif à court terme		
Dette bancaire	64	68
Comptes fournisseurs	26	28
Impôts à payer	2	6
Charges à payer	12	5
Total du passif à court terme	104	107
Passif à long terme	20	30
TOTAL DU PASSIF	124	137
CAPITAUX PROPRES		
Capital-actions	15	15
Bénéfices non répartis	147	132
Total des capitaux propres	162	147
TOTAL DU PASSIF ET DES CAPITAUX PROPRES	286	284

Modèle d'état des résultats d'une entreprise manufacturière

SOCIÉTÉ MANFACO

État des résultats

Exercices financiers terminés le 31 décembre

(en milliers de dollars)

	2001	2000
Ventes	849 $	875 $
Coût des ventes	647	677
Bénéfice brut	202	198
Charges d'exploitation		
Frais de gestion et de vente	165	152
Amortissement	15	15
Total des charges d'exploitation	180	167
Bénéfice net d'exploitation	22	31
Charges d'intérêts	2	3
Bénéfice net avant impôts	20	28
Charge d'impôts	5	7
Bénéfice net après impôts	15	21

LE BILAN

Élément du bilan de votre état financier	Qu'est-ce que c'est?	Pourquoi est-ce important?	Que devez-vous faire?	Qu'en dit votre banquier?
ACTIF				
Espèces	C'est tout l'argent qui était dans votre compte de banque et dans votre tiroir-caisse à la date donnée.	Ceci vous indique le montant d'argent dont vous disposiez pour payer vos factures.	Si le montant est trop bas, vous devez peut-être prendre des mesures pour recouvrer des créances ou retourner des stocks, afin d'augmenter l'argent en caisse pour payer vos employés ou votre loyer. Si le montant est trop élevé, l'argent ne rapporte rien alors qu'il pourrait être mieux utilisé : placez-le dans un dépôt à terme pour accumuler des intérêts ou utilisez-le pour financer le développement de votre entreprise.	Le montant d'argent que vous possédez indique à votre banquier si vous êtes préparé à faire face à vos charges d'exploitation et à tirer avantage des éventuelles possibilités d'affaires. Est-ce qu'une partie de ces fonds fait l'objet d'un placement à court terme? Pouvez-vous les récupérer rapidement ou sont-ils bloqués pour une longue période?
Comptes clients	Il s'agit du montant total des sommes que vous doivent vos clients.	Ceci représente l'argent qui sera versé à votre entreprise pour des produits ou services que vos clients ont déjà reçus mais pas encore payés. C'est de l'argent sur lequel compte votre entreprise pour régler ses factures, rembourser ses prêts et payer ses employés.	D'abord, assurez-vous que la liste est exhaustive. Gardez vos dossiers à jour pour savoir qui vous doit de l'argent, le montant et l'échéance. Cela évite tout malentendu avec vos clients et permet d'entretenir de bonnes relations avec eux. Essayez de recouvrer vos créances en moins de 60 jours, ou 90 jours au maximum. À moins qu'un client soit d'une honnêteté à toute épreuve, plus il prend de temps pour vous régler et plus vous risquez de ne jamais être payé. Votre entreprise ne doit pas devenir une banque pour vos clients !	Plus vos clients attendent pour vous régler, et plus il est difficile pour vous de payer vos factures. Votre banquier vous demandera depuis quand chacune de vos créances existe. Ceci fait partie de la gestion de vos flux de trésorerie. Vous devez savoir quand l'argent entre, quand vous devez le débourser, et aussi que vous pouvez compter sur la parole de vos clients de vous régler à une date donnée. Votre banquier voudra discuter de vos clients. Qui sont-ils? Où sont-ils installés? Comment vous paient-ils? Votre marché est-il en croissance ou en déclin? Avez-vous des possibilités d'expansion sur d'autres marchés?

Placements à court terme	C'est l'argent que vous avez mis dans des placements à terme de moins de un an : par exemple, des dépôts à terme ou des fonds communs de placement ; ou encore, des actions que vous vendez à la Bourse.	C'est de l'argent que vous possédez, mais que vous ne pouvez peut-être pas encaisser rapidement.	Quand vous faites un placement, ne recherchez pas seulement les meilleurs taux d'intérêt. C'est important, bien sûr, mais vous devez aussi penser à l'éventualité d'avoir besoin de ces fonds. Quand cela pourrait-il se produire? Pourrez-vous alors obtenir votre argent rapidement?	Les placements à court terme indiquent en général à votre banquier que votre entreprise dispose d'un excédent de caisse et que vous avez donc la capacité d'accepter de nouveaux projets et de nouveaux clients de même que de développer votre entreprise. Il vous demandera si vous gardez vos placements à terme pour des dépenses futures ou s'ils servent de cautionnement à un prêt ou une lettre de crédit. Si votre entreprise est cyclique (plus occupée à certaines périodes de l'année), ceci dénote que vous faites preuve de prévoyance pour couvrir vos frais durant les périodes moins productives.

Élément du bilan de votre état financier	Qu'est-ce que c'est?	Pourquoi est-ce important?	Que devez-vous faire?	Qu'en dit votre banquier?
Stocks	C'est le total de tous les stocks que possédait votre entreprise à la date du bilan. Ils sont généralement évalués au prix coûtant ou à la valeur du marché, selon le moins élevé des deux. Les stocks peuvent être des matières premières, des produits en cours de fabrication ou des produits finis que votre entreprise a fabriqués ou achetés pour les revendre.	Les stocks sont ce que vous pouvez vendre à vos clients. Ceci vous apprend la quantité de marchandises prêtes pour la vente, la quantité en cours de fabrication et la quantité de matières premières disponibles. La vitesse à laquelle vos stocks peuvent être vendus influe sur la période durant laquelle vos fonds demeurent investis dans vos stocks et le délai auquel vous pouvez récupérer votre investissement. Si vous arrivez à bien gérer vos stocks (ne gardez que le minimum nécessaire), vous parvenez à libérer plus d'argent pour l'exploitation de votre entreprise. Vérifiez régulièrement vos stocks pour savoir si certains ne sont pas devenus désuets. Des matières premières que vous n'utilisez plus ou des produits languissant dans votre entrepôt mobilisent des fonds importants.	Trouvez une façon efficace de gérer vos stocks : • Passez-les en revue régulièrement pour savoir si vous en avez trop. • Cherchez des solutions pour vous débarrasser de ceux qui sont désuets. Pouvez-vous les vendre au prix coûtant ou presque, afin de récupérer votre argent? • Pouvez-vous revendre les matières premières au fournisseur? Ou trouver une autre entreprise qui en a besoin et vous les rachètera? • Surveillez vos habitudes d'achats. Combien de personnes sont autorisées à acheter dans votre entreprise? Vérifient-elles toujours que certains achats sont nécessaires avant de les faire? Il est inutile de recevoir de nouvelles marchandises quand il vous en reste encore beaucoup. • Obtenez des livraisons juste-à-temps de vos fournisseurs et ne gardez que les stocks dont vous avez besoin. Assurez-vous que vos fournisseurs livreront toujours à temps. Vérifiez si votre couverture d'assurance est suffisante pour la valeur totale de vos stocks si votre entreprise est en pleine croissance.	Quelle proportion des stocks de votre entreprise ne rapporte pas d'argent, ou du moins pas dans les 90 jours? Ou même dans un délai de 180 jours? Que pouvez-vous faire pour diminuer les stocks dans votre entrepôt? La quantité est-elle raisonnable vu le rythme de vos ventes? Quels arrangements avez-vous avec vos fournisseurs? Qu'arrive-t-il si vous faites une erreur dans votre commande? Reprennent-ils les marchandises ou devez-vous les écouler? Qui commande vos stocks, matières premières ou produits finis? Comment cette personne s'assure-t-elle : • que les commandes ne sont pas faites en double? • qu'elle obtient les meilleurs prix? • qu'elle négocie les meilleures modalités de paiement? Avez-vous une assurance pour couvrir vos stocks si un feu ou tout autre dommage survenait?

Charges payées d'avance	Votre entreprise a payé pour quelque chose dont elle n'a pas encore bénéficié. Par exemple, une assurance est payée d'avance pour toute l'année, mais vous n'en avez bénéficié que pendant 3 mois. Les frais des 9 autres mois sont payés d'avance.	Lorsque vous passez en revue les charges à payer dans le mois, vous n'avez pas à vous occuper de celles-ci, qui sont déjà payées, ni à trouver l'argent pour les couvrir. C'est un détail important pour votre gestion des flux de trésorerie.	Certaines choses (p. ex. : le loyer) sont payées d'avance pour un mois seulement, alors que d'autres (p. ex. : les assurances) le sont pour toute l'année. Pour faire correspondre vos charges avec vos recettes, demandez à votre compagnie d'assurances de débiter votre compte chaque mois de 1/12 de sa facture annuelle. Trop de charges payées d'avance peuvent entraver sérieusement l'accès à vos liquidités.	Quand vous avez des charges payées d'avance, votre banquier constate que vous n'avez pas besoin de prévoir de l'argent pour les régler plus tard. Ceci l'aide à visualiser quelles charges sont déjà payées et lesquelles sont imminentes. Si un financement à court terme s'avérait nécessaire pour couvrir vos frais en attendant les paiements de vos clients, ceci sera une information importante pour votre banquier.
Immobilisations	Il s'agit d'actifs qui ont de la valeur pour votre entreprise au-delà d'un an et sont généralement ceux qui vous aident à gagner de l'argent. Ils comprennent les équipements, la machinerie, les meubles et autres éléments de longue durée qui servent à l'exploitation habituelle de votre entreprise. Ils sont constatés comme coûts, moins l'amortissement cumulé, plutôt qu'à la valeur du marché ou à celle de leur remplacement. Les terrains font exception : ils sont toujours inscrits au coût d'origine.	Ces propriétés de votre entreprise sont celles qui, en général, génèrent ses recettes. Les équipements, les machines, le matériel informatique et les meubles ont souvent une durée d'utilisation limitée. Vous devez donc éventuellement remplacer certains actifs immobiliers (en tout ou en partie) de votre entreprise. Il arrive que vos immobilisations prennent de la valeur. Les terrains en sont un bon exemple.	Soyez prêt à remplacer vos équipements au moment opportun, c'est-à-dire quand leur durée de vie utile est terminée. Demandez-vous si les réparations et la maintenance vous coûtent plus cher que les paiements mensuels que vous feriez pour de nouveaux équipements, qui seraient plus efficaces. Essayez de maximiser l'utilisation de chaque équipement dans votre entreprise. Pour une entreprise manufacturière, l'ajout d'un quart de soirée permet de doubler la production avec les mêmes équipements. Il est également possible d'avoir deux quarts de six heures au lieu d'un seul de huit heures. Cette option peut être préférable à celle d'ajouter un autre équipement, un autre employé et donc des coûts additionnels.	Votre banquier tentera de définir ce que font vos immobilisations pour votre entreprise. Tous les équipements inscrits comme tels servent-ils réellement à l'exploitation de votre entreprise? C'est-à-dire, contribuent-ils à générer des recettes? Il vous demandera lesquels ne remplissent pas ce rôle (p. ex. : bateaux, autos anciennes, etc. qu'on retrouve parfois dans les états financiers), et vous devrez expliquer pourquoi ils sont inclus. Vous devez expliquer à votre banquier la façon dont vos équipements seront remplacés quand ils seront usés. Le fait que vous avez fini de les payer ne signifie pas toujours que vous devez en acheter d'autres. Expliquez-lui aussi comment vous en prenez soin et s'ils sont assurés. Mieux encore, invitez-le à venir les voir!

Élément du bilan de votre état financier	Qu'est-ce que c'est?	Pourquoi est-ce important?	Que devez-vous faire?	Qu'en dit votre banquier?
Terrains et bâtiments	Si les édifices et les terrains où est installée votre entreprise vous appartiennent, ils sont inscrits sous cette rubrique.	Les édifices se déprécieront, mais pas les terrains. Les terrains ne «s'usent» pas, contrairement aux immeubles et aux équipements.	La valeur des biens immobiliers augmentera peut-être avec le temps, mais elle ne changera pas dans votre bilan. Vous devez connaître la valeur non dévoilée de ces actifs et la communiquer à votre banquier.	
Actifs incorporels/fonds commercial	Ce sont des actifs qui n'ont pas une forme concrète : par exemple, les copyrights, les brevets, les franchises, les marques de commerce, la réputation et l'achalandage de votre entreprise. Vous ne pouvez pas toucher vos actifs incorporels, mais ils ajoutent de la valeur à votre entreprise.	Il peut être difficile de monnayer ce type d'actifs, sauf si vous vendez votre entreprise.	Il vous faut comprendre leur nature ainsi que la valeur qu'ils vous donnent, à vous et à votre entreprise. Le fonds commercial n'est réalisé que lors de la vente de l'entreprise.	Ces actifs peuvent être parfois difficiles à justifier parce qu'ils sont incorporels : il est impossible de les voir ou de les toucher. Votre banquier voudra comprendre leur importance, leur signification et leur valeur pour votre entreprise.
Placements à long terme	Ce sont les placements en valeurs mobilières ou biens immobiliers de votre entreprise ayant une durée excédant un an ou que vous ne pensez pas récupérer d'ici douze mois.	Avant d'investir dans d'autres sociétés, consentir des prêts à vos employés ou placer de l'argent pour une durée qui excède un an, vous devez d'abord vous assurer que cet investissement n'aura pas d'incidence négative sur les transactions courantes de votre entreprise.	Si vous devez emprunter de l'argent à un taux d'intérêt de 6% parce que le vôtre est placé à 4%, vous regretterez votre décision. Dans vos estimations de vos flux de trésorerie, tenez compte du fait que l'argent ainsi placé ne sera pas disponible pour les transactions courantes de votre entreprise durant au moins un an.	Quelle est l'échéance prévue de ces placements? Pouvez-vous les encaisser à court terme? Votre banquier vous suggérera peut-être d'utiliser autant que possible cet argent pour garantir vos emprunts afin de réduire vos taux d'intérêt. C'est une possibilité dont vous devriez discuter avec lui pour déterminer si elle vous convient, à vous et à votre entreprise.

PASSIF				
Dette bancaire Effets à payer	Il s'agit du solde de vos cartes de crédit et de votre marge de crédit d'exploitation à la date du bilan. Ce peut aussi être de l'argent dû aux membres de votre famille ou à des amis, qui doit être remboursé dans un délai de douze mois.	Ceci vous indique le montant que vous devez sur votre marge de crédit d'exploitation à la date du bilan.	À mesure que votre entreprise se développe, votre marge devra peut-être augmenter pour vous permettre de régler les charges d'exploitation. Si vous utilisez plus de 75% de votre limite, consultez votre banquier. Il est possible que vous ayez besoin de : • trouver des façons de gérer votre argent pour libérer une partie de la marge ou • faire augmenter votre marge pour remplir vos nouvelles obligations. Assurez-vous aussi que votre marge de crédit ne finance pas les coûts de nouveaux équipements, ordinateurs ou autres immobilisations, car ils peuvent mobiliser une grande partie de votre marge de crédit. Discutez avec votre banquier d'un prêt à terme pour vos immobilisations.	Votre banquier cherchera à déterminer si l'argent de votre compte et le crédit disponible de votre marge sont suffisants pour couvrir les charges à venir de votre entreprise (p. ex. : loyer, services publics, salaires, comptes fournisseurs, engagements liés au commerce, remboursements de prêts).

Élément du bilan de votre état financier	Qu'est-ce que c'est?	Pourquoi est-ce important?	Que devez-vous faire?	Qu'en dit votre banquier?
Comptes fournisseurs	Il s'agit du montant total que vous devez à vos fournisseurs.	Ceci révèle ce que vous devez et l'argent dont vous aurez besoin dans un proche avenir pour le payer. Le total de votre argent à la banque, du crédit disponible de votre marge de crédit et des sommes que vous doivent vos clients devrait être supérieur au total des montants dus à votre marge et à vos fournisseurs.	Une gestion efficace de vos comptes fournisseurs peut vous donner plus d'argent pour payer les charges d'exploitation de votre entreprise. Prenez le temps de négocier avec chacun de vos fournisseurs : ils seront probablement plus accommodants si vous les connaissez depuis longtemps. Pouvez-vous obtenir de payer vos comptes fournisseurs à 60 jours plutôt qu'à 30 jours, ou encore, profiter d'escomptes si vous payez au comptant ou dans un délai de 10 à 30 jours? Ne croyez pas que les modalités de paiement convenues au début d'une relation avec un fournisseur doivent rester les mêmes pour toujours. L'ajout de 30 jours à l'échéance de vos paiements peut faire merveille sur votre trésorerie!	Votre banquier voudra connaître les modalités de paiement de vos comptes fournisseurs. Les échéances sont-elles trop courtes? Vous prévalez-vous des escomptes possibles quand vous disposez de l'argent en avance? Pouvez-vous négocier des échéances plus longues pour le paiement des comptes afin d'avoir plus de latitude avec votre argent et un meilleur contrôle de vos flux de trésorerie?
Tranche exigible de la dette à long terme	Il s'agit de l'argent que vous devez en remboursements de prêts durant la prochaine année. Ce montant représente la partie de vos prêts à long terme que vous devez payer au cours des douze prochains mois. Par exemple, si vous remboursez 400 $ par mois pendant 4 ans (48 mois) pour un prêt total de 19 200 $ ayant servi à l'achat	Les rentrées de fonds dans votre entreprise serviront à payer ces remboursements. Vous devez connaître quels montants vous devez payer à qui et quand.	Déterminez les paiements mensuels, trimestriels et annuels pour vous assurer que l'argent sera disponible quand vous en aurez besoin. Sachez quels sont les taux d'intérêt payés pour vos dettes et assurez-vous de rembourser les prêts à intérêts plus élevés en premier.	Votre banquier vous demandera si ce montant inclut tous vos paiements mensuels. Ils voudra aussi connaître la fréquence des paiements : mensuels, trimestriels ou annuels?

	d'un de vos équipements, la portion de cette dette à long terme échéant à moins de un an est de 12 mois x 400 $ = 4800 $.			
Dette à long terme (échéant parfois à plus de un an)	C'est le montant total que vous devez en prêts, moins le montant dû au cours de la prochaine année (c'est-à-dire moins la tranche exigible de la dette à long terme ci-dessus).	Ce sont des paiements que votre entreprise fera dans l'avenir, dans un an ou plus après la date du bilan.	Déterminez si ces dettes à long terme sont des continuations de paiements mensuels que vous faites actuellement ou si ce sont des paiements forfaitaires que vous devrez faire dans l'avenir. Une bonne planification à ce sujet vous évitera bien des insomnies!	Ce montant inclut-il toutes les dettes de votre entreprise? Payez-vous des dettes personnelles contractées pour votre entreprise et qui ne figurent pas ici? Prenez-vous assez d'argent dans votre entreprise pour ces remboursements? Ou est-ce l'entreprise qui les paie?
Passif éventuel	Ceci désigne toute obligation future que vous avez, mais dont le montant et l'échéance exacts ne peuvent être déterminés. Ce peut être un cautionnement que votre entreprise a fourni à une autre entreprise, une lettre de crédit ou de garantie.	Ceci vous rappelle les coûts éventuels à venir pour vous et votre entreprise. Tentez d'évaluer si vous aurez à débourser de l'argent et à quel moment.	Quand vous savez qu'il y a une dépense à venir, vous pouvez planifier pour que l'argent soit disponible quand le paiement est dû. Le même principe s'applique au passif éventuel.	Combien pensez-vous avoir à payer? Savez-vous quand cela se produira? Avez-vous mis de l'argent de côté pour couvrir ce paiement éventuel?
Valeur nette ou capitaux propres (entreprise individuelle et société de personnes) Égale l'actif total moins le passif total	Il s'agit de l'argent investi par le (ou les) propriétaire(s) dans l'entreprise pour son démarrage, **plus** tout argent additionnel investi dans votre entreprise depuis, **plus** tous les bénéfices nets (après impôts) non répartis.	Ceci vous montre la valeur purement théorique de votre entreprise. À noter : c'est un instantané à une date donnée, comme votre relevé de placements que vous recevez de la banque.	Chaque fois que vous terminez vos états financiers, vous pouvez y voir la valeur nette de votre entreprise et la comparer à celle de l'exercice précédent. Si elle a augmenté, vous avez un impact positif sur votre entreprise et vos finances personnelles. Si elle a diminué, vous devez en connaître la raison et déterminer les mesures à prendre pour corriger la situation.	La valeur nette révèle certaines choses à votre banquier : si votre entreprise a une capacité de croissance et si le montant des bénéfices non répartis est suffisant pour gérer les affaires courantes. Ceci indique aussi à votre banquier votre propre capacité de payer, ce qui est très important. Car votre entreprise doit être capable de vous fournir le style de vie que vous espérez.

Élément du bilan de votre état financier	Qu'est-ce que c'est?	Pourquoi est-ce important?	Que devez-vous faire?	Qu'en dit votre banquier?
Avoir des actionnaires (société de capitaux) divisé en 2 catégories: • capital-actions et bénéfices non répartis • dividendes	C'est l'argent que les actionnaires d'une société de capitaux investissent dans une entreprise pour son démarrage, **plus** tout autre argent investi par eux depuis ce temps, **plus** tous les bénéfices nets non répartis.	L'avoir des actionnaires indique le montant d'argent investi par les actionnaires dans votre entreprise ainsi que la valeur de celle-ci. À noter: ceci est un instantané de l'image de votre entreprise à la date du bilan. Au fil des années de l'existence de votre entreprise, les bénéfices s'ajoutent aux bénéfices non répartis et les pertes en sont déduites. Les bénéfices non répartis contribuent au développement de votre entreprise et à ses projets d'expansion.	L'avoir des actionnaires permet de déterminer la valeur de l'entreprise pour chacun de ses actionnaires: cela est important pour vos investisseurs, qui s'attendent éventuellement à un rendement de leur investissement dans votre entreprise. Dans ce cas comme dans celui d'une entreprise individuelle et d'une société de personnes, la comparaison avec vos états financiers antérieurs permet de déterminer si la valeur globale de votre compagnie a augmenté ou diminué. Si vous êtes propriétaire de la totalité des actions de la compagnie, vous pouvez choisir de vous payer des dividendes plutôt qu'un salaire ou une prime; chaque rémunération a des incidences fiscales différentes dans votre déclaration de revenus.	Votre banquier voudra savoir: • si vous avez payé des dividendes aux actionnaires, • si votre entreprise a suffisamment de fonds propres pour stimuler sa croissance ou couvrir ses transactions courantes.

L'ÉTAT DES RÉSULTATS

Élément de l'état des résultats	Qu'est-ce que c'est?	Pourquoi est-ce important?	Que devez-vous faire?	Qu'en dit votre banquier?
BÉNÉFICES D'EXPLOITATION				
Ventes (ou recettes)	Il s'agit du montant des produits ou services que vous avez vendus au comptant ou à crédit pendant la période comptable visée.	Ceci vous révèle le total des ventes de votre entreprise pour la période comptable (de un mois, un trimestre ou un an).	Cette information vous permet de savoir si vos ventes augmentent, diminuent ou restent les mêmes. Vous pouvez aussi déceler tout changement ou toute tendance sur plusieurs mois. C'est peut-être la première fois que vous constaterez à quel point votre entreprise a grandi! En y réfléchissant bien, vous verrez qu'avec l'augmentation de la cadence de vos affaires, vous travaillez plus fort, accomplissez plus et avez moins de temps libre. Vous comprenez maintenant pourquoi ; et il est le temps de prendre des décisions pour l'avenir. Si vos ventes décroissent, vous devez peut-être explorer de nouveaux marchés, augmenter votre clientèle ou trouver comment vendre davantage à vos clients actuels.	Toutes vos ventes sont-elles des ventes définitives? Avez-vous une politique de retours? Que révèle la comparaison avec vos ventes antérieures? Votre entreprise est-elle en croissance, en déclin ou stable? Que voulez-vous qu'elle fasse? Si vos ventes augmentent rapidement, votre banquier doit savoir et comprendre ce que cela signifie pour vous. Avez-vous besoin de nouveaux employés? Ou cette augmentation est-elle temporaire? Vos fournisseurs peuvent-ils continuer à vous servir pendant votre développement? Quel sera l'impact sur vos charges d'exploitation et vos liquidités?

Élément de l'état des résultats	Qu'est-ce que c'est?	Pourquoi est-ce important?	Que devez-vous faire?	Qu'en dit votre banquier?
Coût des ventes	Ceci représente le montant que vous avez payé pour : • la fabrication de vos produits, • l'achat des produits que vous vendez, • les frais de transport, de droits, de douanes et d'expédition reliés à ces produits, • l'achat des matières premières.	Les entreprises de services n'ont pas de coûts des ventes. L'information ou les connaissances qu'elles vendent diffèrent de l'achat et de la revente de produits ou de la fabrication de produits.	Si votre entreprise a des coûts des ventes, vous devez établir le ratio entre le coût des ventes et le montant de vos ventes. En suivant cette information d'un état financier à l'autre, vous constaterez peut-être que le coût des ventes augmente et que votre marge brute (profit brut) diminue. Devez-vous reporter cette augmentation sur vos clients? Est-ce possible? Vous pouvez aussi déterminer quels coûts ont augmenté (peut-être ceux des matières premières ou des produits de revente). Ce peut être le moment de contacter de nouveaux fournisseurs ou de renégocier les prix avec vos fournisseurs actuels.	
= Profit brut (ou perte)	C'est la différence entre les ventes et le coût des ventes, dont vous disposez pour payer vos charges d'exploitation et obtenir un bénéfice net.	Divisez votre profit brut par vos ventes. Si le pourcentage obtenu est plus élevé que lors de votre dernière analyse, vous gagnez plus d'argent pour chaque dollar de produits que vous vendez. S'il est plus bas, vous devez contrôler vos coûts dès que possible, car vous travaillez aussi fort qu'avant mais vous gagnez moins.	Si votre objectif est de gagner autant que possible avec le moindre effort, vous voudrez sûrement contrôler vos coûts. Il existe deux façons de gagner plus d'argent : augmenter vos ventes ou diminuer vos coûts. La meilleure stratégie est de faire les deux!	Votre banquier ne veut pas que vous travailliez trop fort non plus! Discutez avec lui de votre coût des ventes, de la façon dont vous vous procurez vos matières premières et de vos fournisseurs. Votre banquier connaît sûrement des propriétaires de petites entreprises qui pourraient vous aider.

+ Autres revenus	Ceci peut comprendre les intérêts de placement, les loyers de vos immeubles, ou tout autre revenu provenant de sources qui ne sont pas typiques des activités d'exploitation normales de l'entreprise.	En déterminant vos activités d'affaires secondaires, vous pouvez évaluer si c'est votre domaine d'activité principal ou les autres activités qui vous rapportent le plus.	Vous conclurez peut-être que vos activités d'affaires secondaires vous coûtent plus cher que l'argent qu'elles vous font gagner. Vous devriez peut-être vous concentrer sur votre domaine d'activité principal et ne pas vous éparpiller. Si vous trouvez que ces activités secondaires profitent à votre entreprise, poursuivez-les et réfléchissez aux activités sur lesquelles vous devriez vous concentrer. Rappelez-vous que vous ne pouvez pas vous cloner!
= Total du profit brut et des autres revenus	Il représente le total des bénéfices bruts et des autres revenus de votre entreprise.	Il s'agit des fonds dont vous disposez pour couvrir les charges d'exploitation de votre entreprise, y compris votre salaire.	
FRAIS			
Frais de vente, frais généraux et administratifs (charges d'exploitation)	C'est le total des salaires, des fournitures et des autres coûts nécessaires pour exploiter votre entreprise et générer ses recettes. Ceci comprend le loyer, les services publics, les frais de déplacements.	Vous pouvez contrôler la plupart de ces charges: chaque dollar épargné ainsi s'ajoute à votre bénéfice.	Examinez vos charges pour trouver des moyens de diminuer vos coûts et d'augmenter vos gains personnels en maximisant les bénéfices de votre entreprise!

Élément de l'état des résultats	Qu'est-ce que c'est?	Pourquoi est-ce important?	Que devez-vous faire?	Qu'en dit votre banquier?
Frais d'intérêts	Ceci reflète le coût d'emprunt, à savoir le coût afférent à votre marge de crédit, vos prêts à terme, vos cartes de crédit et vos prêts des sociétés de financement. Certains états des résultats imputent les frais d'intérêts à court terme aux frais administratifs.	Mieux vous gérez le moment où vos clients vous règlent et celui où vous payez ce que vous devez, et moins les charges d'intérêts de votre marge de crédit ou de vos cartes de crédit seront élevées. Soyez vigilant aussi pour les prêts à terme dont les taux d'intérêts sont élevés. Si vous avez assez d'argent pour prépayer ou rembourser une dette, débarrassez-vous d'abord de celles qui ont les taux d'intérêt les plus élevés.	Essayez de garder vos comptes clients à jour : en tout temps, sachez qui vous doit de l'argent et quelles sont les échéances, et tentez de recouvrer ces créances le plus tôt possible. Ne conservez que le plus bas niveau possible de stocks pour gérer votre entreprise efficacement et satisfaire votre clientèle. Obtenez des livraisons juste-à-temps afin de ne pas utiliser votre marge de crédit pour payer des marchandises qui pourraient traîner des mois dans votre entrepôt avant qu'elles ne vous rapportent de l'argent! Tentez de contrôler vos comptes fournisseurs. Négociez des modalités de paiement à échéance de 60 ou 90 jours si possible. Et demandez des escomptes quand vous réglez vos factures avant l'échéance!	
Amortissement	C'est une façon de calculer et de radier le coût de vos immobilisations (installations, équipements, matériel, etc.) à mesure qu'elles se déprécient en raison de l'usure ou du vieillissement. Les équipements, le matériel et les autres immobilisations que vous achetez ont une durée d'utilisation limitée, après quoi ils sont usés ou obsolètes.	Le coût de l'usure de vos équipements et de votre matériel en raison de leur utilisation est une charge de votre entreprise. Chaque fois que vous utilisez des équipements pour contribuer à générer des recettes, vous les usez. Avec le temps, la valeur de vos équipements devient moindre que leur valeur d'achat. Vous devez avoir la possibilité de passer en charges le coût de	Notez qu'il s'agit d'une opération hors caisse : elle ne vous oblige pas à débourser de l'argent. Mais vous devez planifier le remplacement des immobilisations à un moment donné. L'amortissement est une charge ou un coût qui est la rançon des affaires. À chaque exercice financier, vous pouvez déduire de vos recettes le montant d'amortissement, réduisant ainsi	Le montant passé en charges à votre entreprise à titre d'amortissement est une opération hors caisse : vous n'avez pas réellement dépensé l'argent afin de payer l'amortissement. Votre banquier veut connaître l'amortissement de votre exercice parce qu'il peut être rajouté à l'argent disponible pour couvrir les paiements de remboursement de vos prêts, financer le

	La méthode de calcul de l'amortissement fixe une date limite d'utilisation pour chaque immobilisation, puis répartit sa valeur sur la durée d'utilisation prévue. Il s'agit d'un processus de répartition des charges et non une évaluation des immobilisations.	l'utilisation de vos équipements pour l'exploitation de votre entreprise durant la même période où cette utilisation se fait pour produire des recettes.	votre bénéfice net avant impôts, et donc, les impôts que vous devez payer.	développement de votre entreprise ou payer vos charges d'exploitation.
= Bénéfice net (ou perte) avant impôts	Ceci vous révèle la rentabilité de votre entreprise après le décompte de vos charges, mais avant le paiement des impôts sur le revenu.	C'est l'excédent que vous avez après le décompte de votre coût des ventes et de vos charges d'exploitation.	N'oubliez pas que ce montant n'est utile qu'en autant que votre comptabilité soit bonne! Si vous avez égaré vos reçus ou n'avez pas tout comptabilisé, vous pouvez croire à tort que vous gagnez de l'argent. Par contre, si vous n'avez pas déclaré toutes vos ventes, il y a possibilité que vous vous « vendiez à découvert ».	Votre banquier voudra comparer cette information avec celle des états précédents (mensuels, trimestriels ou annuels). Et surtout, il cherche à savoir si vous êtes dans la bonne voie pour atteindre vos objectifs financiers d'affaires et personnels et à vous offrir des conseils pour y arriver. Tout comme pour les informations contenues dans les états financiers, il est utile de comparer celle-ci avec celles des exercices financiers précédents. Cette comparaison aidera votre banquier à déterminer des solutions financières appropriées concernant, entre autres, vos besoins de financement, vos placements et investissements, et l'utilisation de services bancaires en ligne.

Élément de l'état des résultats	Qu'est-ce que c'est?	Pourquoi est-ce important?	Que devez-vous faire?	Qu'en dit votre banquier?
- Charge d'impôts	Il s'agit du montant des impôts imputés à l'exercice que votre entreprise doit payer aux gouvernements.	Lorsque vous voyez ce montant sur votre état des résultats, cela ne signifie pas nécessairement qu'il a été payé mais plutôt qu'il doit être payé. Selon votre type d'entreprise, vous payez probablement déjà vos impôts par acomptes provisionnels mensuels ou trimestriels. Si ce n'est pas le cas, songez à le faire. Ce sera beaucoup moins pénible que de ne payer qu'une fois par année.	Un des avantages d'avoir un comptable (CA, CMA, CGA ou aide-comptable) dans votre équipe est qu'il peut s'efforcer de réduire vos impôts sur le revenu au maximum.	Il est important de payer vos impôts sur le revenu à temps, ne serait-ce que parce que les règlements tardifs entraînent des frais de retard, et que ces frais d'intérêts s'ajoutent aux charges de votre entreprise. Il existe de nombreuses façons de faire épargner de l'argent à votre entreprise, et payer à temps dans ce cas-ci est l'une d'elles. Votre banquier peut vous permettre d'accéder à votre compte bancaire par Internet : ainsi vous pouvez payer vos retenues d'impôts à la source, vos acomptes provisionnels et vos versements de taxes en ligne. Cela vous fait économiser temps et argent.
= Bénéfice net (ou perte) après impôts	Ceci vous montre l'impact des impôts sur la rentabilité de votre entreprise.	C'est un des coûts de la réussite! Si votre entreprise a du succès, vous devez vous attendre à payer des impôts. Quand vous aurez accepté de devoir verser aux gouvernements une partie de votre argent durement gagné, vous verrez que ce peut être une bonne chose que d'avoir à payer des impôts...	Réfléchissez aux façons d'utiliser cet argent pour votre entreprise.	

+ Profit exceptionnel	Il découle d'activités ne faisant pas partie de l'exploitation courante de votre entreprise et qui sont effectuées sporadiquement : par exemple, la cessation d'une partie de l'exploitation de votre entreprise ou des cessions d'immobilisations (équipements, édifices, terrains).	Ceci met l'accent sur des événements extraordinaires survenus dans votre entreprise, qui ne se reproduiront probablement pas.		Votre banquier voudra connaître la nature de ces activités exceptionnelles. Si vous avez vendu un équipement que vous devez remplacer, vous avez peut-être besoin d'un nouveau prêt à terme!
- Perte exceptionnelle	Quand vous vendez un équipement ou un édifice, vous obtenez parfois un prix de vente inférieur à votre prix d'achat ou à la valeur que vous aviez inscrite dans vos états financiers.	Une perte exceptionnelle peut avoir une incidence positive sur le montant des impôts que vous devez payer!		
= Bénéfice net (perte) après impôts et éléments extraordinaires	C'est l'effet cumulatif de tous les gains et pertes inclus dans l'état des résultats de la période comptable visée.	Il s'agit du montant net que votre entreprise a gagné après la déduction de toutes les charges, tous les impôts et toutes les activités exceptionnelles. C'est le montant qui sera ajouté à vos capitaux propres (votre valeur nette) pour la période visée.	Si votre entreprise a gagné de l'argent (du moins en théorie!), prenez le temps de bien réfléchir à votre succès et félicitez-vous chaleureusement. Si votre entreprise n'a pas gagné d'argent (du moins en théorie!), assurez-vous de discuter avec vos conseillers de ce qui fonctionne bien dans votre entreprise et de ce que vous devez changer pour améliorer sa rentabilité. Parfois, aucun changement n'est nécessaire et il suffit simplement de s'armer de patience. Et ne perdez pas de vue les raisons pour lesquelles vous vous êtes lancé en affaires au départ.	Ce résultat constitue l'une des raisons pour continuer à confier à votre banquier vos objectifs à long terme pour votre entreprise. Si vous êtes en train d'adapter ou de modifier votre entreprise afin d'atteindre des objectifs différents ou redéfinis, discutez-en avec lui. Cela s'applique aussi à votre vie privée. Tout changement dans votre famille (mariage, naissance, divorce, décès) peut avoir un impact sur vos objectifs personnels et d'affaires. Il est important de tenir votre banquier au courant de ce que vous tentez d'accomplir, pour qu'il puisse étudier votre situation financière à la lumière de ces renseignements. Profitez au mieux de ce que peut vous offrir votre banquier.

LES DIX MEILLEURS CONSEILS EN MATIÈRE DE FISCALITÉ

En affaires comme dans la vie, ce sont les résultats qui comptent. Pour la plupart des propriétaires de petites entreprises, ce qui compte dans leurs états financiers est ce qui figure tout au bas : le résultat net de leur exercice financier. Vous aussi, vous devez vous demander si vous gagnez assez d'argent, après que toute l'information financière a été classée, additionnée et soustraite. Si vous n'êtes pas satisfait de votre résultat, il existe peut-être des solutions pour corriger la situation. La réduction des impôts d'une entreprise est un bon moyen d'améliorer ses résultats, mais on oublie souvent de s'en servir. Bien sûr, nous avons tous un intérêt commun à payer des impôts, et je ne suggère pas que vous essayiez d'y échapper. Mais nous devons aussi gérer notre argent de façon avisée et responsable : une bonne planification fiscale est une excellente manière d'y arriver. Demandez à des gens qualifiés de vous conseiller à ce sujet. Votre banquier peut vous faire quelques suggestions, mais la fiscalité n'est pas sa spécialité. Vous avez besoin d'un comptable ou d'un avocat spécialisé en droit fiscal pour vous guider dans ce domaine.

Considérez les mesures suivantes pour réduire vos impôts :

1. L'intérêt que vous payez sur l'argent emprunté pour l'exploitation de votre entreprise est déductible de vos impôts. Pour ce faire, le lien entre les sommes empruntées et son utilisation doit être clair et direct. Par exemple, si vous épargnez votre argent pour acheter un ordinateur et, pour ne pas le dépenser, vous prévoyez de payer vos vacances au Mexique avec votre carte de crédit, vous ne pourrez pas déduire ces intérêts. Utilisez plutôt l'argent épargné pour vos vacances (et vous ne dépenserez probablement pas autant !) et demandez un prêt pour couvrir l'achat de l'ordinateur.
2. Une société de capitaux est une entité juridique séparée, alors les pertes qu'elle accuse ne peuvent pas être déclarées par ses actionnaires. Lorsqu'un actionnaire consent un prêt à son entreprise, il peut le déduire en tant que perte déductible au titre d'un placement d'entreprise. Par exemple, votre compagnie a besoin de 20 000$ en espèces pour acheter un équipement, mais elle ne les a pas. Toutefois, vous (un de ses actionnaires) possédez les fonds nécessaires. Si vous « prêtez » cet argent à l'entreprise, il s'agit d'un prêt d'actionnaire. Si l'entreprise enregistre des pertes, vous pourriez peut-être déduire

une partie de ces pertes (correspondant à votre prêt) dans votre déclaration de revenus personnelle. Votre comptable peut vous renseigner à ce sujet.

3. Engagez votre femme et vos enfants pour travailler dans votre entreprise. Vous devez leur verser des salaires acceptables, qui constituent des charges déductibles aux fins d'impôts.
4. Si vous versez des acomptes provisionnels trimestriels, payez-les toujours à temps, sinon vous risquez d'avoir à acquitter des frais d'intérêts, et peut-être même une pénalité de retard. Vous avez mieux à faire avec votre argent que de le dépenser ainsi.
5. Si vous devez des impôts aux gouvernements fédéral et provincial, mais êtes incapable de régler le montant total immédiatement, négociez avec leurs représentants des modalités de paiement acceptables afin qu'ils ne saisissent pas vos biens.
6. Si vous êtes propriétaire-directeur d'une société de capitaux qui vous paie un salaire, vous n'êtes pas admissible à l'assurance-emploi. Vous ne devriez donc pas faire de remise à cet effet lorsque vous préparez votre déclaration de revenus personnelle.
7. Des frais raisonnables de représentation (pour des repas, ou des activités) engagés pour recevoir des clients sont déductibles à 50 % de leur total aux fins d'impôts sur le revenu.
8. Les travailleurs autonomes qui travaillent à domicile peuvent déduire des frais de déménagement quand ils emménagent dans une nouvelle résidence située à plus de 40 kilomètres, tout comme le font les employés qui doivent déménager pour occuper un nouvel emploi ou à cause d'une mutation.
9. Les travailleurs autonomes ont le droit de déduire dans leur déclaration de revenus les coûts afférents à leur participation à deux congrès au plus par année. Ces congrès doivent être en rapport direct avec leur entreprise ou leur profession.
10. Si vous possédez une entreprise et que vous en cédez la gestion à quelqu'un d'autre au moment de votre retraite, vous pouvez recevoir de votre entreprise une allocation de retraite raisonnable. Celle-ci sera déductible des impôts de l'entreprise, et vous aurez peut-être la possibilité de déposer cette allocation, en tout ou en partie, dans votre REER et de réclamer la déduction d'impôts afférente.

CHAPITRE 11

La vente de votre entreprise

La planification de la vente de votre entreprise ou du moment de sa fermeture devrait commencer presque au moment où vous vous lancez en affaires. Pourtant, peu de gens y pensent dès le début, ce qui n'est pas surprenant. Quand vous avez lancé votre entreprise, vous aviez bien sûr le regard tourné vers l'avenir, mais pas si loin, tout de même! Toutefois, il n'est jamais trop tôt pour vous préparer à l'éventualité de la vente ou de la fermeture de votre entreprise. En effet, vous voulez être en position de vendre une entreprise florissante, afin de pouvoir ensuite en redémarrer une autre ou prendre votre retraite. Cela implique que vous devez surveiller la santé de votre entreprise en revoyant régulièrement votre plan d'affaires, en suivant de près vos flux de trésorerie et en analysant vos états financiers. Si le montant de la vente de votre entreprise sert à financer votre retraite, êtes-vous sur la bonne voie pour atteindre les objectifs qui vous permettront d'obtenir la somme voulue lorsque viendra le moment de vendre? La vente est-elle même une solution pour vous? Si vous désirez créer une autre entreprise, la vente de la première générera-t-elle assez d'argent pour faire démarrer ce nouveau projet?

Trois ou quatre fois par année, demandez-vous: «Suis-je en train de bâtir une entreprise qui se vendra bien?» Cela vous rappelle que votre entreprise est un investissement dans votre avenir.

La planification

Pour la vente. Votre entreprise n'a de valeur pour un acheteur potentiel que si elle est rentable. Si vous vouliez acquérir une entreprise maintenant, achèteriez-vous la vôtre? Pensez à tout le temps, l'énergie et l'argent que vous y avez investis. Considérant les bénéfices et le style de vie qu'elle vous procure, quelle est sa valeur? Croyez-vous que quelqu'un voudrait acheter votre entreprise aux mêmes conditions? Lorsque vous revoyez régulièrement votre plan d'affaires, cherchez aussi la réponse à la question suivante: «Que pourrais-je faire pour rendre mon entreprise plus attrayante quand ce sera le moment de la vendre?»

Pour la retraite. Si vous planifiez votre stratégie de retraite depuis le démarrage de votre entreprise, il est probable que vous contribuez déjà à un REER, que vous êtes en train de rembourser votre hypothèque et que vous avez fait des placements afin d'avoir un revenu de retraite sur lequel vous pourrez compter tout en réduisant vos impôts actuels.

Si tous vos espoirs financiers pour votre retraite sont fondés sur ce que votre entreprise vous rapportera, vous devez vous préparer pour qu'elle soit aussi dorée que vous le désirez. Peut-être que votre entreprise ne possède pas d'immobilisations comme des machines ou des équipements qui peuvent être vendus. Dans ce cas, vous devez trouver une source de revenus pour votre retraite. Dans le domaine des services, les entreprises ont rarement des immobilisations de valeur: la planification d'un REER et des placements à long terme sont peut-être des options pour vous. Les mêmes principes que pour tous les autres placements à long terme s'appliquent ici: investissez un peu à la fois, tout le temps, à long terme, et diversifiez vos placements.

Les REER ne sont pas toujours le meilleur choix. Les agriculteurs, par exemple, considèrent peut-être leurs terres comme leur fond de retraite, puisqu'ils peuvent la louer ou la vendre. Si un agriculteur décide de vendre, le montant obtenu lors de la vente lui permet de financer sa retraite. S'il choisit plutôt de louer, il s'assure un revenu régulier. La contribution à un REER, selon une stratégie d'impôts différés, ne lui aurait pas nécessairement apporté les avantages qu'il recherchait. Le plus important est de choisir la méthode qui vous convient le mieux et de la réviser chaque année pour confirmer que c'est toujours la meilleure option. Il existe quantité de planificateurs financiers et de courtiers qui peuvent vous donner d'excellents conseils. Une fois de plus, trouvez quelqu'un qui comprenne bien la situation des propriétaires de petites entreprises.

La vente d'une entreprise

Quelles sont les raisons poussant un propriétaire à vendre l'entreprise qu'il a lui-même développée? Tout comme pour un démarrage d'entreprise, chacun a ses propres raisons, mais on retrouve des points communs:

- Une nouvelle possibilité d'affaires se présente.
- Une meilleure possibilité d'affaires se présente.
- L'entreprise a grandi au-delà de la capacité de son propriétaire de la gérer, et celui-ci a l'occasion de la vendre à bon prix.
- Le propriétaire veut prendre sa retraite.
- Le propriétaire souffre d'une maladie ou d'une blessure grave.
- Un membre de la famille désire reprendre l'entreprise, permettant au propriétaire de prendre sa retraite ou de lancer une autre entreprise.
- Des différends entre les associés se sont tellement envenimés qu'il faut dissoudre la société de personnes et vendre l'entreprise (un des associés peut racheter la part des autres). Dans les sociétés de personnes, la maladie ou le décès de l'un des associés peut amener les autres à vendre l'entreprise.
- Parfois, un propriétaire perd tout intérêt pour son entreprise; peut-être qu'une occasion plus alléchante s'est présentée ou que l'expérience de gérer une entreprise individuelle a été décevante pour lui.

- Le fonds de roulement peut être insuffisant : le propriétaire manque de compétence ou n'a peut-être pas le désir d'amener son entreprise au prochain niveau.
- L'entreprise perd de l'argent. C'est toujours une situation désolante : les rêves sont brisés. Il est difficile de vendre une entreprise en difficulté.

Pour la vente de votre entreprise, vous devez adopter le même type de stratégie que lorsque vous essayez de vendre votre maison en la montrant sous son meilleur jour aux acheteurs potentiels. Assurez-vous donc que vos bureaux et autres locaux sont propres et en ordre, que tous vos équipements fonctionnent très bien et que vos stocks sont à jour. Mais vendre une entreprise n'est pas la même chose que vendre une maison : il faudra peut-être plus d'un an pour trouver le bon acheteur. Durant cette période, votre entreprise doit continuer à prospérer afin d'attirer les acheteurs potentiels. Si vous avez des employés, vous devez entretenir leur motivation au travail et leur intérêt à rester dans votre entreprise quand ils apprendront que vous l'avez mise en vente. N'oubliez pas non plus vos clients et vos fournisseurs : quand ils apprendront que vous comptez vendre, vous devrez les rassurer eux aussi sur la santé de votre entreprise et la continuation de son existence.

Il est parfois difficile de garder le secret quant à vos intentions de vendre votre entreprise, mais cela vaut la peine d'essayer. Tel que mentionné ci-dessus, cette nouvelle fera peut-être paniquer vos employés et vos clients, qui pourraient bien commencer à chercher de nouveaux employeurs ou fournisseurs. Mais que direz-vous, avant le moment où vous serez prêt à dévoiler vos projets, si l'on vous demande à brûle-pourpoint : « Vendez-vous votre entreprise ? » Pour ne pas être pris de court, exercez-vous à répondre à cette question. Vous ne voulez peut-être pas avouer que vous y songez, mais il y a diverses manières de faire face à cette interrogation sans toutefois mentir (ne le faites jamais !). Deux explications à toute épreuve peuvent régler ce problème : « Depuis des années, chaque fois que des acheteurs me contactent, cela engendre habituellement des rumeurs.» ou: «Tout peut se vendre si le prix est bon.» Vous pouvez aussi recourir à une touche d'humour: «Avez-vous apporté votre chéquier?» ou bien: «Combien m'offrez-vous?»

Quand vous êtes sur le point d'activer vos préparatifs pour la vente de votre entreprise, constituez un dossier d'information que vous donnerez aux acheteurs potentiels. Vous pouvez le concevoir de façon à ne pas le dévoiler au complet dès le début. Vous pouvez commencer par discuter, à titre informatif seulement, avec des gens ne souhaitant pas vraiment acheter votre entreprise. Ces personnes sont peut-être d'éventuels concurrents. Il ne faut donc pas leur révéler les secrets de vos affaires avant de savoir si ce sont des acheteurs sérieux et intéressants. Notez bien que votre entreprise est maintenant le produit que vous devez vendre.

Votre dossier d'information devrait comporter les éléments suivants (dont vous devez moduler l'emploi en fonction des acheteurs intéressés):

- un historique de votre entreprise et les raisons de sa mise en vente,
- une description du mode d'exploitation de votre entreprise,
- de l'information sur vos installations,
- des renseignements sur vos fournisseurs,
- un profil du marché, de votre clientèle et de vos concurrents,
- un organigramme de votre entreprise, si vous avez des employés, comprenant l'échelle des salaires et désignant les employés ayant exprimé le désir de rester après la vente,
- un sommaire de toutes vos couvertures d'assurance,
- un résumé de toutes les questions judiciaires en suspens,
- les états financiers exacts des trois à cinq derniers exercices financiers,
- une liste détaillée de vos actifs corporels et incorporels pour que les acheteurs intéressés sachent ce qu'ils pourront utiliser pour garantir d'éventuels prêts,
- le prix de vente demandé, justifié par une référence au rendement du capital investi prévu afin que les parties intéressées puis-

sent estimer le temps nécessaire pour récupérer leur mise de fonds initiale,
- des témoignages de clients illustrant leur loyauté envers votre entreprise,
- une entente de confidentialité, qui profitera à l'acheteur et au vendeur.

Quand vous discutez avec un acheteur potentiel, il est important de ne pas oublier que «désir d'acheter» n'est pas synonyme de «capacité d'acheter». Assurez-vous que les personnes intéressées sont sérieuses avant de leur révéler toutes vos informations.

Pendant que vous préparez les documents de votre dossier d'information, réfléchissez à ce que représente votre entreprise pour vous. Le processus de la vente est probablement chargé d'émotions, puisque votre entreprise est votre création et que vous y avez investi beaucoup. Quelle est la valeur de son fonds commercial pour les acheteurs potentiels? De plus, le style de vie et les revenus que vous procure votre entreprise sont deux facteurs importants dans l'établissement de la valeur de votre entreprise, tout comme le sont vos immobilisations, vos biens mobiliers et vos stocks. Mais il n'est pas si difficile de déterminer le prix de votre entreprise, surtout si vous avez l'aide d'un courtier.

Votre équipe de vente

Comme vous l'avez toujours fait pour votre entreprise, vous collaborerez avec votre équipe pour la vente de votre entreprise: un conseiller juridique, un banquier et un comptable. Mais ce défi de taille requiert peut-être l'ajout d'un autre collaborateur: pensez à la possibilité de retenir les services d'un courtier ou d'un expert en évaluation d'entreprise (EEE), surtout si vous pouvez trouver quelqu'un qui est spécialisé dans la vente des petites entreprises. Vos conseiller juridique, banquier ou comptable peuvent probablement vous recommander une personne de confiance. Les membres de votre équipe actuelle ont intérêt à rendre l'expérience aussi agréable que possible pour vous, votre courtier et le nouveau propriétaire, car ils voudront continuer à travailler pour l'entreprise après la vente.

Pour en savoir plus sur l'évaluation d'entreprise, visitez le site Web de l'Institut canadien des experts en évaluation d'entreprises (ICEEE) à www.cicbv.ca (le site est malheureusement en anglais bien que l'on offre une assistance en français)

Vous devez maintenant décider si vous vous occupez vous-même de la vente de votre entreprise ou si vous confiez ce travail à un courtier. Les courtiers travaillent habituellement pour des cabinets d'experts-comptables ; il s'agit de l'un des services offerts par la plupart des grands cabinets. Si vous engagez un courtier, vous devez lui payer un pourcentage de la somme obtenue au moment de la vente de votre entreprise.

Faites des entrevues avec plusieurs courtiers pour déterminer leurs connaissances sur votre type d'entreprise, évaluer leur expérience et savoir si vous êtes à l'aise avec eux. Demandez-vous aussi si chaque courtier ou expert en évaluation semble honnête avec vous. S'il croit par exemple que vous voulez un prix trop élevé pour votre entreprise, comment aborde-t-il cette discussion ? Par contre, ne choisissez pas un candidat seulement parce que son évaluation de votre entreprise est la plus élevée. Des attentes irréalistes peuvent causer beaucoup de friction et même influer sur le montant réel que vous obtenez lors de la vente. Certains courtiers établissent l'évaluation à un prix élevé parce qu'ils pensent que c'est ce que vous désirez. Mais dans les faits, vous devrez peut-être diminuer votre prix de vente et accepter en bout de compte moins que vous n'auriez eu si vous aviez demandé un prix plus raisonnable dès le début.

Les services suivants sont offerts en tout ou en partie par un expert en évaluation d'entreprises :

- établir le prix de votre entreprise,
- définir les modalités de vente,
- assembler le dossier d'information,
- procéder à la mise en marché de votre entreprise,
- déterminer les acheteurs potentiels,
- passer au crible les acheteurs intéressés,
- négocier et évaluer les offres,
- encadrer la procédure légale.

Si vous décidez de vendre vous-même votre entreprise, gardez la liste ci-dessus en mémoire afin d'engager des professionnels qui pourront se charger de ce que vous ne pouvez ou voulez faire. Afin que votre intention de vendre votre entreprise se sache, parlez-en à vos clients et à vos fournisseurs, tout en les assurant que vous êtes encore en affaires et bien décidé à continuer de faire prospérer votre entreprise jusqu'au bout. Passez également des annonces dans la section des petites annonces des journaux locaux. N'identifiez pas votre entreprise dans ces annonces, mais donnez-en une brève description. Fournissez aussi un numéro de téléphone ou l'adresse d'une boîte postale que les acheteurs potentiels pourront utiliser pour vous joindre. Si vous appartenez à une association professionnelle ou autre qui publie un bulletin, vous pourriez éventuellement annoncer aussi dans cette publication.

Avec les membres de votre équipe, discutez des personnes susceptibles d'être intéressées à acheter votre entreprise. Ils pourront aussi vous aider à décider de certaines questions, notamment le montant en espèces que vous exigerez d'un acheteur éventuel. Si un courtier fait partie de votre équipe, demandez-lui de passer au crible les différents candidats et d'éliminer ceux qui ne sont pas sérieux; pendant ce temps, vous vous consacrerez à la gestion de votre entreprise. Quand vient le temps d'interviewer les acheteurs intéressés, rappelez-vous (si c'est vous qui vous en chargez) que votre but est de vendre votre entreprise et non d'éliminer toute résistance chez vos interlocuteurs. Et ne vous laissez surtout pas emporter par votre passion pour votre entreprise ou par les sentiments que sa vente suscite en vous. Vous avez probablement déjà acquis de l'expérience dans ce domaine au cours de votre carrière en affaires, mais la vente de votre entreprise (pour des motifs heureux ou tristes) peut provoquer des émotions encore plus fortes que son démarrage. Si un courtier ou un expert s'occupe de la vente, il doit absolument rester neutre, éviter les différends et régler ceux qui peuvent se produire.

La détermination du prix

Arriver à établir le prix juste pour la vente de votre entreprise est l'une des tâches les plus difficiles reliées à sa vente. C'est un peu comme lorsqu'on met sa maison en vente, et les résultats peuvent être semblables. Si votre prix est trop élevé, vous obtiendrez peut-être une somme moins importante que si vous aviez dès le départ établi un prix plus réaliste. C'est pourquoi un évaluateur ou un expert en évaluation d'entreprise peut vous faciliter la tâche : la détermination du prix de vente est assurément un aspect que vous serez heureux de confier à quelqu'un d'autre, écartant ainsi toute pression émotive. L'évaluateur utilise l'une des trois techniques suivantes pour calculer en toute impartialité la valeur de votre entreprise.

La première est l'*actualisation des bénéfices*. Avec cette méthode, l'évaluateur détermine la valeur économique de votre entreprise en calculant la valeur actualisée de ses bénéfices futurs. L'hypothèse sous-tendant cette évaluation est que l'entreprise continuera d'enregistrer des bénéfices à chaque exercice financier pendant un certain nombre d'années (la période habituelle est de trois à cinq ans). On calcule la moyenne des bénéfices des exercices précédent et courant, puis cette moyenne est multipliée par un facteur variable selon le secteur d'activité et la gestion de l'entreprise.

La deuxième est celle de la *valeur comptable*. Pour la déterminer, l'évaluateur se réfère au bilan : du total de l'actif de l'entreprise, il soustrait son passif afin d'obtenir la valeur comptable. Par exemple, si le total de votre actif dans votre dernier bilan est de 900 000$ et que le total de votre passif est de 400 000$, la valeur comptable de votre entreprise est la différence entre ces deux montants, c'est-à-dire 500 000$.

La troisième est celle de l'*évaluation économique*. Ce n'est pas une méthode aussi simple et objective que les deux précédentes. Elle consiste à accorder une valeur à des concepts intangibles se rapportant à l'entreprise, tels la loyauté de sa clientèle et la qualité de sa gestion. Dès lors, les manières d'appliquer cette technique peuvent varier, et l'intuition y joue un rôle important. C'est pourquoi il vaut mieux dans ce cas s'en remettre à des experts. Bien sûr, les éléments de base des deux autres techniques font aussi partie de l'évaluation économique: l'historique de la rentabilité de l'entreprise, la condition de l'entreprise (qui comprend tout, de l'état des équipements à celui des livres comptables), les conditions économiques du moment et les prévisions des bénéfices.

Chacune des trois méthodes arrive probablement à une valeur différente. Elles devraient donc être considérées séparément, chacune selon ses mérites, lorsque vous tentez de déterminer le prix de vente de votre entreprise.

> **L'acheteur achète pour l'avenir et non pour le passé. Les prévisions des bénéfices sont donc plus importantes pour lui que les bénéfices précédents et influenceront probablement son évaluation de votre entreprise.**

Soyez prêt à accepter un prix moindre. En effet, tout comme dans le cas de la vente d'une maison, la négociation constitue un élément inhérent du processus de vente de votre entreprise.

Les modalités de la vente

Quand vous recevez une offre d'achat pour votre entreprise, vous devez remettre à l'acheteur certains documents financiers. C'est le moment où la signature d'une entente de confidentialité peut être pertinente.

Si votre entreprise est une entreprise individuelle ou une société de personnes, vous et l'acheteur êtes impliqués dans ce qu'on appelle une opération portant sur des biens. Les éléments d'actif qui sont achetés font l'objet d'une description détaillée dans le contrat. En général, l'acheteur achète tout ce que possède l'entreprise, à l'exception des espèces, des comptes clients et des dettes. Vous avez la responsabilité de payer toutes les dettes à court et à long termes avec la somme que vous recevez pour la vente de votre entreprise. Discutez des implications fiscales de ce type de transaction avec votre comptable.

Si votre entreprise est une société de capitaux, vous vendrez probablement vos actions au nouveau propriétaire. Tous les aspects de l'exploitation de l'entreprise se poursuivent; l'actif et le passif de l'entreprise continuent comme si rien ne s'était passé.

Si le nouveau propriétaire possède déjà une compagnie ou désire fonder une nouvelle société de capitaux, votre entreprise peut vendre son actif à la nouvelle compagnie. Vous demeurez alors actionnaire de l'entreprise originale, et le montant de la vente est versé à la compagnie, et non à vous. Chacun de ces scénarios entraîne des implications fiscales différentes et vous devriez en discuter avec votre comptable ou votre avocat.

Vous devez réfléchir aux divers scénarios découlant d'une offre d'achat. Grâce à son expertise, le courtier peut vous tracer un portrait de ce que vous réservent les étapes finales du processus. Essayez de régler d'abord les questions les plus difficiles et n'oubliez jamais que l'acheteur est votre allié. Pendant les négociations, vous collaborez avec lui pour trouver des solutions, des options et des alternatives. Préparez-vous donc à considérer certaines des situations suivantes :

- *L'acheteur vous paie entièrement au comptant.* Que l'acheteur ait contracté un emprunt ou utilisé des biens personnels pour payer le prix dont vous avez convenu, cela vous importe peu. C'est le résultat qui compte : vous faites une vente, vous prenez votre argent et vous partez. Cela représente le meilleur scénario que vous puissiez espérer. Mais assurez-vous que votre comptable ou votre banquier vous aide à gérer les implications fiscales !

- *L'acheteur vous demande d'accepter un paiement à tempérament.* Cette pratique n'est pas inhabituelle : en fait, la possibilité d'une vente entièrement au comptant peut bien ne jamais se présenter. Dans ce cas-ci, vous pouvez vous attendre à recevoir un versement initial. Et en ce qui concerne le montant résiduel, le nouveau propriétaire proposera peut-être de le payer avec un billet à ordre garanti par l'actif de l'entreprise, qui sera remboursé au cours d'une période et à un taux d'intérêt déterminés (ce taux pourrait aussi être lié au taux préférentiel et serait donc variable durant la période de remboursement). Cependant, ce type de transaction peut avoir des incidences sur votre avenir et votre capacité de gérer votre nouvelle entreprise, votre retraite, vos dettes personnelles. Assurez-vous donc que votre avocat, votre comptable et votre banquier ont bien effectué leur vérification au préalable afin que vous puissiez déterminer si cette possibilité est acceptable pour vous. Si vous avez besoin tout de suite de tout l'argent de la vente, ce n'est peut-être pas la bonne option.
- *L'acheteur vous propose une acquisition par emprunt.* Cette méthode repose aussi sur un emprunt (à une banque ou à toute autre institution financière semblable) garanti par les éléments d'actif de l'entreprise, mais l'acheteur n'investit qu'un peu de son argent ou pas du tout. Les acquisitions par emprunt placent un lourd fardeau de dettes sur l'entreprise : vous et le nouveau propriétaire devez être sûrs que l'entreprise sera capable de rembourser adéquatement ses dettes.

Vous devez bien réfléchir aux répercussions sur votre retraite ou sur votre nouvelle entreprise de chacun de ces scénarios d'achat, ou de tout autre scénario qu'on vous présentera.

N'oubliez pas que vous et l'acheteur devez travailler de concert pour arriver à l'entente qui soit la meilleure pour vous deux. Les négociations sur des questions comme celles abordées ci-dessus peuvent se poursuivre un certain temps, pendant que vous réglez tous les détails de votre entente. Votre force provient de votre connaissance de votre entreprise et de sa place dans votre secteur d'activité : cela vous aidera à défendre à la fois le prix et les modalités que vous demandez.

Vous et l'acheteur de votre entreprise devez bien comprendre les raisons pour lesquelles vous vendez et pourquoi il achète, vos motivations ainsi que les raisons qui vous amènent tous les deux à adopter vos positions sur certaines questions. Attendez-vous aussi à avoir à défendre vos positions en les étayant sur des faits. Essayez également de prévoir les arguments et positions de l'acheteur pour être prêt à y répondre. Plusieurs candidats propriétaires pourront venir s'informer sur votre entreprise, un peu comme pour la vente d'une maison. Cependant, une fois que vous amorcez les négociations, il est plus éthique de ne considérer qu'une offre à la fois.

L'offre

L'offre devrait comporter les éléments suivants :

- le prix offert,
- les montants proposés comme dépôt de garantie et comme acompte, ainsi que le montant qui sera emprunté,
- les éléments d'actif et de passif faisant l'objet de l'achat,
- l'état de fonctionnement des équipements au moment de la conclusion de la vente,
- une stipulation que l'entreprise passera avec succès toutes les inspections nécessaires,
- le droit de soustraire du prix d'achat tout passif non mentionné qui viendrait à échéance après la vente,
- des garanties de titre incontestable et une confirmation de la validité des contrats existants, y compris le transfert de l'assurance à l'acheteur,

- une disposition selon laquelle la vente est sujette à des facteurs comme la cession de bail, la vérification des états financiers, le transfert des licences, l'obtention de financement, etc.,
- une disposition selon laquelle les charges (loyer, services publics, salaires, etc.) ont été payées,
- un engagement intitulé «clause de non-concurrence» vous empêchant de faire des affaires en tant que concurrent direct du nouveau propriétaire,
- un résumé de la manière dont l'entreprise sera exploitée jusqu'à la vente,
- la date de la vente.

Prenez le temps de bien étudier l'offre qui vous est faite. Vous pouvez demander un état financier à l'acheteur et même un plan d'affaires après-vente. Demandez à votre comptable et à votre avocat de vous aider à évaluer l'offre et attendez-vous à de nombreuses communications entre vous pendant la mise au point des détails. Insistez aussi pour obtenir un dépôt non remboursable : il peut arriver que les négociations n'aboutissent pas et que la vente ne soit pas conclue !

La conclusion de la vente

Lorsque l'acheteur et vous serez d'accord sur tous les points et que vous aurez signé une entente, votre avocat vous guidera à travers les étapes menant à la conclusion de la transaction. Assurez-vous de savoir ce qui se passe à chaque étape et à quel moment vous devez satisfaire certaines conditions. Une fois que le chèque de l'acheteur est approuvé et que les fonds sont dans votre compte de banque, vous pouvez alors passer à la prochaine étape de votre vie.

Pendant tout le processus de la vente, vous devrez faire vos adieux à votre entreprise et à tous les gens qu'elle vous a permis de rencontrer au fil des ans. Mais cette période n'est pas empreinte que de tristesse, puisque vous commencez une nouvelle vie : la retraite, le démarrage d'une nouvelle entreprise ou la poursuite d'autres intérêts, tels l'achèvement d'un diplôme universitaire ou le tour du monde en voilier ! Si vous êtes de l'étoffe des propriétaires de petites entreprises que je rencontre depuis des années, je suis convaincue que vous mènerez une vie intéressante et bien remplie. Les qualités qui ont fait de vous un excellent entrepreneur et l'expérience que vous avez acquise continueront à vous être très utiles.

ANNEXE

Ressources pour les propriétaires de petites entreprises

Durant l'existence de votre entreprise, vous accumulez un grand nombre de coordonnées utiles à la gestion de vos affaires. Voici quelques organismes, associations et autres à ajouter à cette liste : ils pourront peut-être vous venir en aide pour démarrer et atteindre vos objectifs.

Information générale

CanadaOne
www.canadaone.com

Ce magazine d'affaires canadien en ligne est gratuit et s'adresse directement aux propriétaires de petites entreprises. Le site présente de l'information sur la meilleure structure pour votre entreprise et répond aux questions sur des sujets variés : par exemple, faire un emprunt, être un employeur ou demander des subventions. Il offre aussi une liste des événements à venir pouvant intéresser les propriétaires de petites entreprises (séminaires, ateliers, etc.) et une large gamme de conseils techniques proposés par les visiteurs de ce site. En anglais seulement.

Canadian Association of Family Enterprise (CAFE)
www.cafeuc.org
1060, chemin Britannia Est
Mississauga (Ontario)
L4W 4T1
Téléphone : (905) 670-1358 ou 1-866-849-0099
Courriel : info@cafenational.org

CAFE Montréal
900-500 Sherbrooke Ouest
Montréal (Qc)
H3A 3C6
Téléphone : (514) 282-3801

Cet organisme s'adressant aux entreprises familiales a des bureaux régionaux un peu partout au Canada. Ce site Web en présente la liste, avec leurs adresses et numéros de téléphone. CAFE offre des programmes éducatifs, du mentorat et des groupes d'échanges entre pairs. Seule la page d'accueil du site montréalais est en français, le reste des informations étant offertes en anglais.

Centres de services aux entreprises du Canada
www.rcsec.org/français

Ce réseau d'information et de services aux entreprises est le résultat d'une collaboration entre des organismes fédéraux, provinciaux et privés. Tous les propriétaires de petites entreprises devraient visiter ce site Web. En effet, vous y trouverez des renseignements sur les services, programmes et règlements gouvernementaux concernant les entreprises. Indispensable, ce site explique comment faire démarrer ou prospérer une entreprise au Canada et touche tous les aspects concernant la création et l'exploitation d'une entreprise : de l'étude de marché à l'élaboration d'un plan d'affaires, en passant par la réglementation, la fiscalité et le commerce électronique. Il peut vous diriger vers votre bureau régional, si nécessaire.

Chambre de Commerce du Canada
www.chamber.ca/français
Édifice Delta
Bureau 501
350, rue Sparks
Ottawa (Ontario)
K1R 7S8
Téléphone : (613) 238-4000 ou (416) 868-6415
Télécopieur : (613) 238-7643
Courriel : info@chamber.ca

Vous pouvez obtenir de votre chambre de commerce locale des renseignements sur les séminaires et ateliers pouvant vous intéresser et de l'aide pour le réseautage.

Conseil canadien des Bureaux d'éthique commerciale
www.canadiancouncilbbb.ca/français
Bureau 220
44, Carré Byward Market
Ottawa (Ontario)
K1N 7A2
Téléphone : (613) 789-5151
Télécopieur : (613) 789-7044
Courriel : ccbbb@canadiancouncilbbb.ca

Contactez le Conseil canadien pour obtenir les coordonnées du bureau de votre région. Vous pouvez demander si des plaintes ont été portées contre des clients ou des fournisseurs avec qui vous pensez faire affaire.

Conseil québécois du commerce de détail (CQCD)
www.cqcd.org
Bureau 910
630 rue Sherbrooke Ouest
Montréal (Québec)
M4W 3M5
Téléphone : (514) 842-6681 ou 1-800-364-6766
Télécopieur : (514) 842-7627
Courriel : cqcd@cqcd.org

Le CQCD offre des programmes de formation de même qu'une gamme d'avantages économiques à ses membres tels que des taux préférentiels pour divers services (p. ex. : cartes de crédit, assurances, fournitures, service de transport et de messagerie, etc.).

Développement des ressources humaines Canada
www.hrdc-drhc.gc.ca

Cet organisme a des bureaux un peu partout au Canada et fournit de l'information sur les programmes et les services offerts aux petites entreprises. Il donne aussi des conseils sur la formation des nouveaux employés et fournit des services d'aide aux chômeurs qui veulent faire démarrer leur entreprise. On y retrouve également des renseignements sur les prêts aux étudiants entrepreneurs.

The Entrepreneurship Institute of Canada – L'Institut des entrepreneurs du Canada
www.entinst.ca
C. P. 40043
75, rue King Sud
Waterloo (Ontario)
N2J 4V1
Téléphone : 1-800-665-4497
Télécopieur : (519) 885-0990

Vous pouvez y commander des livres, vidéos, logiciels et cédéroms pouvant intéresser les propriétaires de petites entreprises.

Fédération canadienne de l'entreprise indépendante (FCEI)
www.fcei.ca
(416) 222-8022

Un site intéressant à visiter qui inclut des liens avec d'autres sites, entre autres celui de Strategis (voir plus loin) qui vous permet de choisir entre un achat ou un crédit-bail. Il offre aussi aux membres la possibilité d'obtenir plusieurs «services à valeur ajoutée» dont une carte de crédit à taux préférentiel. Le site présente aussi les activités nationales et provinciales de la fédération.

PME Québeclic
www.pmequebeclic.com/

Ce portail s'adresse à tout propriétaire de petites entreprise désireux d'en savoir plus sur les affaires électroniques. Découvrez pourquoi et, surtout, comment votre entreprise pourrait tirer avantage d'Internet et des technologies de l'information.

Portaildesaffaires.ca
http ://portaildesaffaires.ca

Ce site Web offre un point d'entrée unique à tous les services et renseignements gouvernementaux nécessaires au lancement et à l'exploitation d'une entreprise au Canada.

ProfitGuide
www.profitguide.com/

Plus qu'une simple version en ligne du magazine *PROFIT*, ce site Web est une ressource d'affaires pour les entrepreneurs canadiens. Un de ses commanditaires est la Banque Scotia. En anglais seulement.

Strategis
http ://strategis.ic.gc.ca
Un site Web d'envergure géré par Industrie Canada, qui offre une section spéciale pour les petites entreprises, où l'on trouve entre autres des renseignements sur le programme de financement des petites entreprises. Selon l'Association des banquiers canadiens, c'est le plus grand site Web d'information sur les affaires au Canada ; il offre des conseils utiles sur d'autres ressources et organismes.

Agences d'évaluation du crédit

Ces agences vous offrent de l'information sur votre rapport de solvabilité pour vous permettre de vérifier qu'il est exact et mis à jour.

Dun & Bradstreet Canada
www.dnb.ca/fr
577, rue Hurontario
Mississauga (Ontario)
L5R 3G5
Téléphone : (905) 568-6000
Télécopieur : (905) 568-6197
Courriel : cic@dnb.com

Equifax Canada
www.equifax.ca
C.P. 190, station Jean-Talon
Montréal (Québec)
H1S 2Z2
Téléphone : (514) 493-2314 ou 1-800-465-7166
Télécopieur : (514) 355-8502
Courriel : consumer.relations@equifax.com

TransUnion
www.tuc.ca
Bureau 200
1600, boul. Henri-Bourassa Ouest
Montréal (Québec)
H3M 3E2
Téléphone : (514) 335-0374 ou 1-877-713-3393
Courriel : webmaster@tuc.ca

Éducation

Agence des douanes et du revenu Canada
www.ccra-adrc.gc.ca/tax/business/smallbusiness/menu-f.html

Cet organisme fédéral offre un service d'information interactif sur les petites entreprises destiné principalement aux propriétaires de petites entreprises. Utilisez-le si vous êtes sur le point de lancer une entreprise ou si vous venez tout juste de commencer à en gérer une. Des séminaires sur les divers aspects de la gestion et de l'exploitation d'une petite entreprise sont également offerts dans diverses villes canadiennes. Consultez la section «Événements et séminaires» pour plus de détails.

Centres de services aux entreprises du Canada - Atelier en ligne sur la petite entreprise
www.rcsec.org/alpe/workshop.html

Un atelier en ligne complet pour les propriétaires de petites entreprises, qui traite des diverses questions sur le démarrage et la gestion d'une entreprise.

CMA-Canada
www.cma-canada.org/french

Cliquez sur «Cours et conférences» afin de connaître les cours offerts en ligne qui renseignent les propriétaires de petites entreprises sur la gestion des affaires de leur entreprise dont, entre autres, les états financiers, l'utilisation d'Internet et le commerce électronique.

Industrie Canada — Foires-info pour la petite entreprise
http://strategis.ic.gc.ca/sc_mangb/fairs/frndoc/homepage.html
Une vitrine des programmes et services du gouvernement fédéral et des séminaires «pratiques» à l'intention de la petite entreprise.

UVPME
www.uvpme.org
UVPME diffuse des modules d'apprentissage en ligne, par le biais de collèges et d'universités, de sociétés et d'associations qui offrent du soutien et des services à la collectivité des petites entreprises. Ces cours aident les propriétaires de petites entreprises à se servir d'Internet pour faire prospérer leur entreprise, la transformer en entreprise en ligne ou augmenter sa productivité. Les modules de formation sont offerts sous forme de forfaits qui peuvent être personnalisés. Des cours d'essai sont offerts. La Banque Scotia a un partenariat avec UVPME.

Exportation

Corporation commerciale canadienne
www.ccc.ca
Bureau 1100
50, rue O'Connor
Ottawa (Ontario)
K1A 0S6
Téléphone : (613) 996-0034 ou 1-800-748-8191
Télécopieur : (613) 995-2121

Bureau de liaison du Québec
5, Place Ville-Marie
Montréal (Québec)
H3B 2G2
Téléphone : (514) 283-8791
Télécopieur : (514) 496-4017
Courriel : brunet.luc@ic.gc.ca
Une société d'État fédérale qui fournit aux exportateurs canadiens l'accès à des occasions d'affaires sur les marchés étrangers et des services de passation de contrat d'exportation.

Ministère des Affaires étrangères et du Commerce international
www.dfait-maeci.gc.ca
1-800-267-8376
Un bon endroit où commencer à s'informer sur les possibilités et modalités d'exportation pour les entreprises canadiennes.

Exportation et développement Canada
www.edc-see.ca
151, rue O'Connor
Ottawa (Ontario)
K1A 1K3
Téléphone : (613) 598-2500 ou 1-800-850-9629
Télécopieur : (613) 237-2690
Courriel : export@edc.ca
Offre aux exportateurs canadiens des services de financement, d'assurance et de cautionnement ainsi que son expertise sur les marchés étrangers.

ExportSource
http://exportsource.gc.ca
ExportSource est le service en direct qu'Équipe Canada inc. (ECI) a conçu à l'intention des entreprises canadiennes en quête de débouchés extérieurs. ECI vise à offrir aux milieux d'affaires canadiens un

guichet unique d'accès aux services intégrés du gouvernement du Canada (un réseau de plus de 21 ministères et agences fédéraux), dans le but d'accroître la capacité d'exportation, l'état de préparation à l'exportation et la réussite au chapitre du développement de marchés internationaux.

Finances

Banque de développement du Canada
www.bdc.ca
1-888-INFO BDC

La BDC offre des services de financement et de consultation aux petites et moyennes entreprises canadiennes. Elle a plus de 80 succursales au Canada.

Association des banquiers canadiens
www.cba.ca

Vous y trouverez une section sur les petites entreprises avec des liens vers toutes les banques et leurs produits pour les petites entreprises.

Institut canadien des experts en évaluation d'entreprises
www.cicbv.ca
277, rue Wellington Ouest
Toronto (Ontario)
M5V 3H2
Téléphone : (416) 204-3396
Télécopieur : (416) 977-8585

Que vous soyez vendeur ou acheteur, consultez ce site pour connaître les détails de l'évaluation d'une entreprise. En anglais seulement, mais services personnalisés en français par courriel ou au téléphone.

Institut canadien des comptables agréés
www.cica.ca
277, rue Wellington Ouest
Toronto (Ontario)
M5V 3H2
Téléphone : (416) 977-3222 ou 1-800-268-3793
Télécopieur : (416) 977-8585

Découvrez la profession de comptable agréé ou des renseignements sur la comptabilité au Canada en visitant ce site.

Ordre des comptables agréés du Québec
www.ocaq.qc.ca
680, rue Sherbrooke Ouest, 18e étage
Montréal (Québec)
H3A 2S3
Téléphone : (514) 288-3256 ou 1-800-363-4688
Télécopieur : (514) 843-8375

Trouvez un comptable agréé ou des renseignements sur la comptabilité au Québec en visitant ce site.

Association canadienne du capital de risque (ACCR)
www.cvca.ca
234, ave. Eglinton Est, bureau 200
Toronto (Ontario)
M4P 1K5
Téléphone : (416) 487-0519
Télécopieur : (416) 487-5899

La mission de cet organisme est de promouvoir l'utilisation du capital de risque pour soutenir le développement des petites et moyennes entreprises en croissance au Canada et de fournir un forum de discussion aux personnes engagées dans l'investissement de capital de risque au Canada. En anglais seulement.

Association des comptables généraux accrédités du Canada (CGA-Canada)
www.cga-canada.org

Le centre des PME de CGA-Canada présente des recherches sur des questions pertinentes pour les petites et moyennes entreprises. Le site propose des hyperliens vers différents sites essentiels de même qu'une section destinée principalement aux entreprises à domicile.

Financement agricole Canada
www.fcc-sca.ca
1800, rue Hamilton
C.P. 4320
Regina (Saskatchewan)
S4P 4L3
Téléphone : (306) 780-8100 ou 1-800-387-3232
Télécopieur : (306) 780-5495

Cet organisme gouvernemental fournit des services financiers aux propriétaires de fermes et d'agro-industries. Le site présente de l'information sur les produits, les publications, les demandes de prêts, les possibilités de carrière, etc.

ROYNAT Capital
www.roynat.com
Place Montréal Trust
Bureau 1910
1800, avenue McGill College
Montréal (Québec)
H3A 3K9
Téléphone : (514) 987-4949
Télécopieur : (514) 987-4908
Courriel : qro@roynat.com

ROYNAT Capital fournit du financement au marché des petites et moyennes entreprises. Ses décisions reposent non seulement sur des critères concernant l'actif, mais aussi sur la qualité de la gestion, l'historique du rendement de l'entreprise, les flux de trésorerie et les tendances générales du secteur d'activité. Sa spécialité est le capital à long terme pour les entreprises en croissance.

Franchises

Canadian Franchise Association
www.cfa.ca
2585, ave. Skymark, bureau 300
Mississauga (Ontario)
L4W 4L5
Téléphone : (905) 625-2896 ou 1-800-665-4232
Télécopieur : (905) 625-9076

Consultez ce site pour en savoir plus sur le franchisage et découvrir des occasions de franchises ou des offres d'emploi. En anglais seulement.

Ressources humaines

Gestion des ressources humaines
www.hrmanagement.ca

Ce site, géré par Développement des ressources humaines Canada, présente aux petites et moyennes entreprises de l'information sur l'embauche, la formation, la législation du travail, les ressources d'affaires locales, les formulaires et les outils.

Affaires électroniques

ebiz.facile
http ://strategis.ic.gc.ca/sc_indps/ebiz/frndoc/homepage.php

C'est le portail d'Industrie Canada quant aux affaires électroniques pour les petites et moyennes entreprises. Cet excellent site regroupe les renseignements dont vous avez besoin pour prendre des décisions clés en matière de commerce électronique : ressources humaines, marketing, recherches et statistiques, outils, etc.

Le commerce électronique au Canada
http ://e-com.ic.gc.ca/
Ce site d'Industrie Canada, conçu par le Groupe de travail sur le commerce électronique avec des partenaires du secteur privé, présente des informations utiles sur le commerce électronique, dont des articles, des outils, des statistiques et des rapports de recherche.

Microsoft bCentral
www.bcentral.com/
Établissez votre entreprise dans Internet avec ce logiciel conçu pour les petites entreprises. Il propose des outils pour le commerce électronique, le marketing par courrier électronique, les finances, l'agenda électronique, etc.

Régions

Agence de promotion économique du Canada atlantique
www.acoa.ca
Centre de la Croix Bleue, 3e étage
644, rue Main
C.P. 6051
Moncton (Nouveau Brunswick)
E1C 9J8
Téléphone : (506) 851-2271 ou 1-800-561-7862
Télécopieur : (506) 851-7403
Courriel : comments@acoa-apeca.qc.ca
Les résidents de la région de l'Atlantique (excepté le Québec) qui démarrent de nouvelles entreprises ou qui veulent développer des

entreprises déjà existantes peuvent trouver sur ce site des renseignements sur, entre autres sujets, le financement et la préparation de plans d'affaires.

Développement économique Canada pour les régions du Québec
www.dec-ced.gc.ca
Téléphone : (514) 496-4636 ou 1-800-322-4636

Le mandat de ce programme fédéral est de promouvoir le développement économique à long terme des régions du Québec en accordant une attention particulière à celles dont la croissance économique est lente et les emplois sont insuffisants. Son but est de collaborer avec les petites et moyennes entreprises au moyen d'une large gamme d'initiatives favorisant le développement des entreprises et l'amélioration de l'environnement du développement économique des régions.

FedNor, Initiative fédérale de développement économique pour le nord de l'Ontario
http ://fednor.ic.gc.ca
Téléphone : (705) 942-1327 ou 1-800-461-6021

FedNor est un programme d'Industrie Canada qui conseille les entreprises du nord de l'Ontario sur le démarrage d'une entreprise, la vente sur les marchés internationaux et la vente au gouvernement, entre autres.

Agence des douanes et du revenu du Canada
www.businessregistration.gc.ca

Si vous vivez en Nouvelle-Écosse, au Nouveau-Brunswick ou en Ontario, vous pouvez enregistrer votre entreprise en ligne sur ce site Web.

Entreprises branchées de l'Ontario
www.cbs.gov.on.ca/obc/français/4TWMTW.htm

Un site Web visant à simplifier et à rationaliser les formalités actuelles d'enregistrement, de renouvellement et de déclaration pour les entreprises de l'Ontario. Vous pouvez aussi remplir des formulaires en ligne pour modifier ou annuler l'enregistrement de votre nom commercial ou visiter MyBIS, un service d'information aux entreprises.

Diversification de l'économie de l'Ouest Canada (DEO)
www.wd.gc.ca
1-888-338-9378
Ce programme commandité par le gouvernement fédéral offre une gamme de services aux petites et moyennes entreprises de l'Ouest canadien.

Recherche

Réseau des entreprises canadiennes
http ://strategis.ic.gc.ca/sc_coinf/ccc/frndoc/homepage.html

Canadian Trade Index
www.ctidirectory.com/index.htm

Canada 411 – Trouver une entreprise
http ://www.pagesjaunes.ca/
Sur ce site se trouvent des informations sur différentes entreprises.

Carte du commerce canadien
http ://strategis.ic.gc.ca/scdt/businessmap/frndoc/0.html
Ce site offre un accès à de l'information d'affaires à caractère international, national, provincial, territorial et municipal.

GDSourcing
www.gdsourcing.com/
Vous pouvez amorcer votre étude de marché sur ce site Web, qui

est un annuaire des données de Statistique Canada et d'autres statistiques canadiennes. En anglais seulement.

Statistique Canada
www.statcan.ca
La source officielle de statistiques sociales et économiques.

Impôts

Agence des douanes et du revenu du Canada
www.ccra-adrc.gc.ca
Ce site offre des brochures d'information, des séminaires et d'autres renseignements susceptibles d'intéresser les propriétaires de petites entreprises.

Pour des renseignements au sujet de l'enregistrement à la TPS/TVH (toutes les provinces sauf le Québec), allez à www.ccra-adrc.gc.ca/tax/business/gsthst/menu-f.html

Pour savoir comment obtenir votre numéro d'entreprise, allez à www.ccra-adrc.gc.ca/eservices/tipsonline/bis/bn-f.html

Pour vous enregistrer en ligne, allez à www.businessregistration-inscriptionentreprise.gc.ca

Vous pouvez aussi communiquer avec les bureaux des services fiscaux de votre région pour obtenir de l'information sur l'obtention de votre numéro d'entreprise et votre enregistrement à la TPS/TVH.

Revenu Québec
http ://www.revenu.gouv.qc.ca/fr/entreprise/index.asp
Ce site offre des brochures d'information, des séminaires et d'autres renseignements susceptibles d'intéresser les propriétaires de petites entreprises.

Pour des renseignements au sujet de l'enregistrement à la TVQ et la TPS/TVH au Québec, allez à http://www.revenu.gouv.qc.ca/fr/entreprise/taxes/tvq_tps/index.asp

Pour savoir comment obtenir votre numéro d'entreprise du Québec (NEQ), allez à http://www.revenu.gouv.qc.ca/fr/entreprise/demarrage/demarches/no_entreprise.asp

Pour vous enregistrer en ligne, allez à http://www.revenu.gouv.qc.ca/fr/entreprise/services/info/services.asp

Les entreprises technologiques

Conseil national de recherches du Canada (CNRC)
www.nrc.ca
Téléphone : (613) 993-9101

Le CNRC supervise un programme qui vient en aide aux petites et moyennes entreprises relativement à la création et l'adoption des technologies novatrices en leur offrant de l'assistance technique et un financement à frais partagés. Une partie de son mandat est d'adopter une approche plus active afin d'assurer la diffusion des connaissances et des progrès technologiques.

Viatech
www.viatech.org

Les entreprises basées sur la connaissance peuvent obtenir sur ce site des conseils gratuits sur les questions bancaires, légales et promotionnelles. Le site est commandité par la Banque Royale.

Les femmes d'affaires et le commerce

http ://www.dfait-maeci.gc.ca/businesswomen/menu-fr.asp

Le site Web Les femmes d'affaires et le commerce du ministère des Affaires étrangères et du Commerce international fournit un lieu très spécial sur le Net pour les femmes d'affaires canadiennes. Il a été créé afin d'offrir un soutien aux femmes d'affaires, en leur fournissant de l'information pertinente sur l'exportation et les activités s'y rapportant. Il présente une mine de renseignements pour se préparer au marché de l'exportation et réussir dans ce domaine : entre autres, des liens directs vers d'autres ressources Internet utiles et des sources d'information qui peuvent intéresser les femmes d'affaires canadiennes.

Canadian Women's Business Network
www.cdnbizwomen.com/
Un réseau pour les femmes d'affaires canadiennes, qui leur fournit des informations à jour en ligne ainsi que des possibilités de réseautage et des options de marketing. En anglais seulement.

Centre for Women in Business
www.msvu.ca/cwb
Mount Saint Vincent University
166, route Bedford
Halifax (Nouvelle-Écosse)
B3M 2J6
Téléphone : (902) 457-6449
Télécopieur : (902) 457-6455
Les étudiants inscrits à cette université collaborent avec des clientes sur des projets d'affaires spécifiques. Le Centre offre aussi des programmes de formation et des sessions de consultation.

Women Business Owners of Canada
www.wboc.ca
Un organisme national dont la mission est de promouvoir le partage de l'information et des conseils, qui représente un groupe de pression pour les femmes propriétaires d'entreprises au Canada.

Women Entrepreneurs of Canada
www.wec.ca/
Un réseau de ressources, de soutien et d'occasions pour les femmes entrepreneurs. En anglais seulement.

Réseau des femmes d'affaires du Québec
http ://www.rfaq.ca
Ce réseau se donne comme mission de faire reconnaître l'importance et les mérites des femmes dans le milieu des affaires.

Le Bloc-Note
http ://www.leblocnote.com
Le Bloc-Note est un portail destiné à la femme d'affaires et à la femme entrepreneure.

Les jeunes et les affaires

Fondation canadienne des jeunes entrepreneurs
www.cybf.ca
Bureau 1404
123, rue Edward
Toronto (Ontario)
M5G 1E2
Téléphone : (416) 408-2923
Télécopieur : (416) 408-3234
Courriel : info@cybf.ca
Dans ses bureaux régionaux au Canada, cette fondation à but non lucratif offre des programmes de mentorat, de soutien ainsi que des programmes de prêts jusqu'à 15 000 $ aux jeunes Canadiens admissibles.

Young Entrepreneurs Association
www.yea.ca
Téléphone : (416) 588-0908 ou 1-888-639-3222
Télécopieur : 1-888-639-7969
Courriel : info@yea.ca
Cette association offre à ses membres des séminaires, des ateliers et un bulletin d'information. En anglais seulement.

Bibliographie

BizMove.com. www.bizmove.com

Carroll, Jim et Rick Broadhead, *Selling Online: How to Become A Successful E-Commerce Merchant in Canada*, Macmillan Canada, Toronto, 1999.

Centres de services aux entreprises du Canada, www.rcsec.org

CGA Canada – Comptables généraux accrédités du Canada www.cga-canada.org

CCH Business Owner's Toolkit Guidebook www.toolkit.cch.com

Développement des ressources humaines Canada www.hrdc-drhc.gc.ca

Gray, Douglas et Diana, *The Complete Canadian Small Business Guide*, 3e édition, McGraw-Hill Ryerson, Toronto, 2000.

Groupe Investors, *Small Business: Financial Planning for The Owner of The Business*, Stoddart, Toronto, 1998.

Kuhlmann, Arkadi, *L'exercice financier AvCan - Une introduction à l'étude analytique des états financiers*, Institut des banquiers canadiens, Montréal, 1981.

Index

A

Accord de libre-échange nord-américain (ALÉNA), 131
Achat d'actif, 23
Achat d'une entreprise ou d'une franchise, 23-25
Achat de locaux, 29-30, 48
Acompte (paiement par), 60
Acquisition par emprunt, 191
Actif/passif, équation, 154
Actionnaires, 39, 40, 41-42
  Litiges entre, 35, 37, 182
Actions, 23, 38, 40, 41
Actualisation des bénéfices, 188
Administrateurs de société, 40, 42
ADRC
  voir Agence des douanes et du revenu du Canada
Affacturage, 59
Agence des douanes et du revenu du Canada (ADRC), 29, 32, 37, 43, 55, 116, 211
Agence d'évaluation du crédit, 108-200
Agence d'évaluation du crédit des particuliers, 67, 70
Agent des services bancaires aux particuliers, 64
Agriculteurs, 181
Agro-industrie, 80, 206
Aide gouvernementale aux entreprises, 48-49
Alberta Boot (Calgary), 17
AltaVista, 144
Améliorations locatives, 48
American Express, 44
Amis
  financement de l'entreprise, 56
  prévoir du temps pour les, 14
Assemblée des actionnaires, 40
Association canadienne de la franchise, 207
Association canadienne du capital de risque, 205
Association des banquiers canadiens, 204
Association des comptables généraux accrédités du Canada (CGA-Canada), 206
Associé passif, 38
  voir aussi Société en commandite simple
Assurance
  agent d', 90
  automobile, 91
  bénéficiaire, 91
  caution, 91
  incendie, 91
  invalidité, 82, 91
  pertes d'exploitation, 91
  responsabilité civile des particuliers, 91
  responsabilité de produits, 91
  vie, 82, 91
  vols et détournements, 91
Assurance-emploi (AE), 33, 115, 116, 179
Augmentation de salaire, 123
Avantages
  entreprise individuelle, 32
  société de capitaux, 38, 40
  sociétés de personnes, 35, 36-37
Avocat, 16, 24, 31, 39, 43, 86, 87
Avoir des actionnaires, 154-155

B

Bail, 29
Banque de développement du Canada (BDC), 63, 204
Banque Scotia, 13, 17, 50
Bénéfices non répartis, 155
Bilan, 153-155, 158-170
Brevets, 80
Brochure électronique, 141
Bulloch Tailors, 6
Bulloch, John, 6
Bureau d'éthique commerciale, 98, 109, 110, 197

C

CAFE Montréal, 196
Caisse populaire, 46
CanadaOne, 195
Canadian Association of Family Enterprise (CAFE), 196
Canadian Franchise Association, 207
Canadian Women's Business Network, 213
Capital-actions, 155
Capital de risque, 62
Capitaux «patients», 55
Carte de crédit, 17
  d'entreprise, 53, 69
  factures, 53
  paiement de dettes à court terme, 104
  paiement par, 44, 108
  période de grâce, 53, 104
  source de financement, 52, 87
  transactions en ligne, 146
Carte de débit, paiement par, 44, 108
Catastrophes naturelles, 91
Centre for Women in Business, 213
Centres de services aux entreprises du Canada, 115, 196
Cessation d'emploi, 115, 116, 120, 124
Cession-bail, 51

Chambre de commerce du Canada, 197
Charges d'exploitation (états financiers), 156, 173-177
Chauffage (déduction), 29
Clients
  comptes clients, 58, 69, 90, 100, 102, 105
  comptes en souffrance, 58, 102, 109 (voir aussi Procédures de recouvrement)
  connaître ses, 96, 98
  détermination de leurs besoins, 97
  ententes de crédit avec les, 58, 98, 108
  examen de la liste de clients, 96
  face à la vente de l'entreprise, 183
  fidélité, 25, 96, 129, 189
  litiges, 44
  potentiels, 19, 129, 140
  promesse de service, 96
  qualités, 16
  révision des relations avec les, 96
  rôle, 16, 86
  service à la clientèle, 129
  vérification de la solvabilité, 72, 98
Commandes
  habitudes de, 100, 139
  juste à temps, 100
  téléphoniques (frais), 44
Commerce électronique
  voir Électroniques, affaires
Commission de la santé et de la sécurité du travail, 116
Compagnie
  voir Société de capitaux
Compilation (états financiers), 157
Comptable, 16, 25, 31, 39, 43, 85, 88, 110
  aide-comptable, 16, 85, 89, 103
Comptable agréé (CA), 89
Comptable en management accrédité (CMA), 59, 89
Comptable général accrédité (CGA), 89
Comptant, vente au, 7
Compte
  d'affaires, 34
  de commerçant, 44, 146
  personnel, 34
  TPS et TVQ, 43
Comptes clients, 58, 69, 90, 100, 102, 105
Comptes fournisseurs, 59, 100, 103
Concepteurs de sites Web, 92, 141, 148
Conception de site Web, 141
  conseils, 144-145
Concurrence, 73, 79, 83, 92, 93, 130, 139, 140, 142
Confiance, 87, 91, 108
Confidentialité, 87, 148
Congédiement pour «motif valable», 124
Congés, 15
Congrès, déductions d'impôts, 179
Conjoint, 15, 133, 179
Conseil d'administration, 40
Conseil national de recherches Canada, 212
Conseil québécois du commerce de détail, 198
Conseiller en marketing, 79, 86, 93, 94
Conseiller juridique
  voir Avocat
Conseils en matière de fiscalité, 110, 178-179
Consultant, 92
Contrat
  achat d'une franchise, 24
  de société de personne, 34
  et les investisseurs providentiels, 56
  existants, 23
Contrôle, impression de, 12, 33, 128, 134
Corporation commerciale canadienne, 202-203
Cote de crédit, 47
Coupons rabais, 135, 147
Courrier électronique, 28, 69, 139, 147
Courtier, 186, 187, 190
Coût des ventes (états financiers), 156, 172
Créances irrécouvrables, 59
Crédit
  agence d'évaluation du crédit, 108-200
  agence d'évaluation du crédit des particuliers, 67, 70
  cote de, 47
Crédit-bail, 50
Crédit intégré Scotia, 50
Crise
  voir Périodes de crise
Croissance, 113-137
Croissance personnelle, 127
CSST
  voir Commission de la santé et de la sécurité au travail
Culture, différences, 129
Curriculum vitæ, 78, 118
Cycle de vie d'une entreprise, 23
Cycle économique, 27, 68
  ralentissement, 111

D

Décès, 82, 91, 182
Décision, prise de
  entreprise individuelle, 31, 33
  société de capitaux, 38
  société de personnes, 35, 37
  société en commandite simple, 38

Déclaration de revenus
dates de production, 151, 152
Déductions
chauffage, 29
charges d'exploitation, 29
congrès, 179
coûts reliés au domicile, 29
frais de déménagement, 179
frais de représentation, 179
impôt, 29, 111, 178-179
impôt foncier, 29
Déléguer, 114, 122
Demande de prêt/marge de crédit, 49 (voir aussi Marge de crédit; Prêt)
Démarrage d'entreprise, 22-45
achat d'une entreprise ou d'une franchise, 23-25
conseils, 22
constitution en société de capitaux, 38-43
définition, 22
entreprise individuelle, 31
frais de démarrage, 81
locaux, 28-31
moment de la création, 11
nom, 33, 40
numéros, 43
plan financier, 81
relation avec la banque, 22
relation avec les clients, 18
relation avec les fournisseurs, 20
réussite, 22
sociétés de personnes, 34-37
taille, 25
Déménagement, frais de, 179
Dépôt de garantie, 44
Dette
à court terme, 104
entreprise individuelle, 33
responsabilité des actionnaires, 40
société de capitaux, 39
stress de l'endettement, 67-72
Développement des ressources humaines Canada, 117, 118, 198
Développement économique Canada pour les régions du Québec, 209
Discrimination dans l'embauche, 116, 120
voir aussi Droits de la personne
Dissolution d'une société de personnes, 35, 37, 182
Dividendes, 38-43, 155
Dollars américains, 130, 142
Domicile, coûts reliés au, 29
Domicile, entreprise à, voir Entreprise à domicile
Droits d'auteur, 80
Droits de la personne
législation, 116, 118-120
Dun & Bradstreet, 108, 110, 200

E

Économies d'échelle, 127
Éducation, 201
Électroniques (affaires), 44, 138-149
accès à Internet, 140
avantages, 142
efficacité, 139
frais de vente, 44
moteurs de recherche, 144
recherche, 140
ressources, 207
sécurité, 148
services bancaires, 139
statistique, 11
transactions avec cartes de crédit, 146
Embauche de personnel
affichage en ligne, 119
avantages, 26, 114, 125
choix du candidat, 121
choix du moment, 27
conjoint/enfant, 14, 133, 179
dans les périodes critiques, 103
description d'emploi, 117-118
discrimination, 116, 120
élément du plan d'affaires, 79
équipe de vente, 136
pendant la phase de croissance, 133
petites annonces, 118
pour recouvrer les créances, 59, 102
processus décisionnel, 114
voir aussi Cessation d'emploi; Emploi; Employés; Employeurs; Entrevue; Ressources humaines
Emplacement (locaux), 30
Emploi
cessation, 115, 116, 120
discrimination, 116, 120
législation, 32, 115
lettre de confirmation (offre d'emploi), 121
Emplois affichés en ligne, 119
Employés
à forfait, 26
analyse du rendement, 123
à plein temps, 26, 103, 113
à temps partiel, 26, 113, 118
cessation d'emploi, 115, 116, 120, 124
comportement fautif, 124
congédiement pour «motif valable», 124
coûts additionnels, 114
embauche, 113-126
et la vente de l'entreprise, 183
licenciement, 12
litige avec employeur, 117
membres de la famille, 7
période d'essai, 120
références, 121

réduction de personnel, 12
responsabilités des, 123
relation avec l'employeur, 120, 122
rendement (analyse du), 123
salaire, 114-115, 123
statistiques, 10, 26

Employeurs
aptitudes à communiquer, 119, 134
litige avec employé, 117
relation avec l'employé, 122
responsabilités, 115
voir aussi Leadership

Enfants, 15, 133, 179

Énoncé de mission, 77

Enquête de solvabilité
voir Solvabilité

Enregistrement
d'une société de capitaux, 39
du nom de l'entreprise, 34, 40
en ligne, 34

Entente verbale (sociétés de personnes), 35

Entreprise
à domicile, 12, 28, 111
basée sur la connaissance, 20, 212
comme seule source de revenu, 10
cycle de vie d'une, 23
cyclique, 68, 101, 103
de rénovation résidentielle, 60
de services en ligne, 142
exportatrice, 80, 202
familiale, 7, 10, 196
importatrice, 20, 80
liée au tourisme, 68, 147
manufacturière, 20, 156
régie par le gouvernement fédéral, 115, 116
saisonnière, 104 (voir aussi Entreprise cyclique)
structure (voir Structuration)
technologique, ressources, 212
virtuelle, 147-148 (voir aussi Électroniques, affaires)

Entreprise individuelle, 31
avantages, 32
comparée à une société de personnes, 36
comparée à une société de capitaux, 40-42
enregistrement, 33
fiscalité, 33, 151
inconvénients, 33
interdictions, 29
valeur nette, 154-155
vente de l'entreprise, 190

Entrevue d'emploi, 119
pratique des techniques, 119

Épargne en vue des périodes de crise, 68

Équation actif-passif, 154

Equifax Canada, 71, 98, 200

Équilibre entre vie privée et vie professionnelle, 12, 14, 26, 27, 127

Équipe d'une petite entreprise, 16, 79

Équipement
crédit-bail, 50
location, 44
prêt pour l', 47

Équité salariale, 115

Escomptes, 59, 100, 132, 147

État des flux de trésorerie, modèle, 105-108

État des résultats, 155-157, 171-177

États financiers, 150-179
avantages, 69, 150
compilation, 157
mission d'examen, 158
modèle, 158-177
révision, 131, 180
types, 157
vérifiés, 158

États financiers — éléments
bilan, 153-155
charges d'exploitation, 156
coût des ventes, 156
état des résultats, 155-157

États-Unis (Implantation aux), 130

Étude de marché, 18, 93, 95

Études, 5, 140

Évaluateurs, 188
voir aussi Expert en évaluation d'entreprise

Évaluation économique, 189

Expert en évaluation d'entreprise (EEE), 185, 188
services offerts, 186-187

Exportation et développement Canada, 203

ExportSource, 203

F

Faillite, 13, 115
et l'achat de locaux, 30
mauvaise gestion des flux de trésorerie (cause), 99, 105
mythe, 13

Famille
embauche, 133, 179
source de financement, 56

Fédération canadienne de l'entreprise indépendante (FCEI), 6, 199

Femmes entrepreneures, 11, 212

Fermes, 206

Fidélité de la clientèle
voir Clients

Financement, 45-72
achat d'entreprise ou de franchise, 23
additionnel (croissance de l'entreprise), 104-105
entreprise individuelle, 32

Financement, sources
associés, 57

bancaire, 49
capital de risque, 62
carte de crédit, 52
crédit-bail, 50
entreprise comme source de fonds, 57-62
famille et amis, 56
investisseurs providentiels, 55
hypothèque de deuxième rang, 49
marge de crédit, 46
pensions, 53
prêt, 46
prêt à terme, 47-49
prêt LFPEC, 48
propriétaire d'entreprise, 45
ressources, 204
Financement agricole du Canada, 206
Fiscalité, conseils, 110, 178-179
voir aussi Imposition
Flux de trésorerie
augmentation des prix/taux, 61-62
avantages, 103
comptes clients, 58-59, 100
comptes fournisseurs, 59, 100
définition, 99
dépôts, 60
état des flux de trésorerie, modèle, 105-108
et l'utilisation du plan d'affaires, 68
gestion des, 58, 102
imprévisibilité, 101
logiciel, 103
paiements par acomptes, 60
planification des, 101
prévisions, 102, 104, 131
révision des projections, 105, 180
stocks, 61, 99
transactions bancaires en ligne, 139
Fondation canadienne des jeunes entrepreneurs, 214
Fonds
besoins à court terme, 101, 104, 112
rentrées de, 105
sorties, 105
sources de (voir Financement)
surplus de, 103
Fournisseurs, 7, 91
comptes fournisseurs, 59, 100, 103
entreprise gestion de la connaissance, 20
importance, 20
pendant la phase de croissance, 132
recherche de nouveaux, 20
Frais
agences de recouvrement, 109
bancaires, 44
commandes postales, 44
Commission de la santé et de la sécurité du travail (CSST), 116
conception de site Web, 148
déménagement, 179
marge de crédit, 46
prêts LFPEC, 48
rapport de solvabilité, 71
représentation, 179
transaction, 44
ventes en ligne, 44
Franchise, 23-25, 207
responsabilités du franchiseur et du franchisé, 24

G

Garantie
bien offert en garantie, 48
personnelle, 41, 42
Gerwing, Clem, 17
Gerwing, Tim, 17
Gestion de l'entreprise, 95-112
clients, 95-98
flux de trésorerie, 99-112
Gestion des ressources humaines, 207
GMAC, 46
Google, 144
Guichet automatique bancaire, 64, 139

H

Historique de l'entreprise, 77, 86
Horaire de travail flexible, 12, 29
voir aussi Équilibre entre vie privée et vie professionnelle
Hypothèque (prêt hypothécaire), 30
voir aussi Hypothèque de deuxième rang

I

Image, 28, 93, 129
Imposition
acomptes provisionnels, 152, 179
conseils, 110, 178-179
dates de production, 151, 152
entreprise à domicile, 29, 111, 179
entreprise individuelle, 33, 151
et le crédit-bail, 51
et le personnel, 115
location, 110
réduction, 110, 178-179 (voir aussi Fiscalité, conseils)
retenues sur les salaires, 115
selon le type d'entreprise, 151-153
société de capitaux, 41-42, 111, 152
société de personnes, 36, 152
voir aussi Déductions
Impôt foncier (déduction), 29

«Incorporée» (société), 40
Indemnité de départ, 115
Industrie Canada, 202
Information d'affaires (sources), 195-214
Inspecteur général des institutions financières
enregistrement des sociétés, 34
Instinct, intuition, 19, 121, 128
Institut canadien des experts en évaluation d'entreprises, 186, 204
Institut des entrepreneurs du Canada, 198
Intérêt
carte de crédit, 53
déduction, 178
marge de crédit, 46
période de grâce sans intérêt (carte de crédit), 53, 104
prêt garanti et non garanti, 48
prêt LFPEC, 48-49
Internet, commerce dans
voir Électroniques, affaires
Investisseurs
de capital de risque, 62
famille et amis, 56
providentiels, 55

J

Jeunes entrepreneurs, ressources, 214

L

Leadership, 133
Législation sur l'emploi, 32, 115
Législation sur les sociétés de personnes, 34
Lettre de crédit, 81, 132
Lettre de garantie, 81, 132
Licenciement, 12
Limite de crédit, 53
«Limitée», 40
Liquidités
gestion des, 57-58, 101
surplus de, 103
Locaux
achat, 29, 48
à domicile, 28
améliorations locatives, 48
crédit-bail, 40
location, 29
Logiciel
de comptabilité, 103, 134
Microsoft bCentral, 141, 208
Loi fédérale de l'impôt sur le revenu, 111
Lois contre le blanchiment d'argent, 132
Loi sur le financement des petites entreprises du Canada (LFPEC), 48
Loi sur les normes du travail, 115
LookSmart, 144

M

Marché
cible, 19
nouveau, 130, 132, 135, 140
pendant la phase de croissance, 130
Marge de crédit, 17, 46, 49, 69, 101
Marketing
agence de, 92
conseiller en, 79, 86, 93, 94
définition, 92
entreprise en croissance, 135
stratégie, 79
quatre «P», 93, 135
Marques de commerce, 80
MasterCard, 44
Mentors, 15, 76, 83
Mexique, 130
Microsoft bCentral, 141
Ministère des Affaires étrangères et du Commerce international, 203
Ministère du Travail, 115
Mission d'examen, 158
Mission, énoncé de, 77
Modèle
état des flux de trésorerie, 105-108
états financiers, 158-177
Moteurs de recherche, 143

N

Nom de l'entreprise, 33, 34, 39, 40
Normes de sécurité, 131
Notaire
voir Avocat
Numéro
d'assurance sociale, 115
d'employeur, 116
d'entreprise, 43
de téléphone sans frais, 144
de TPS et de TVQ, 39, 43

O

Objectifs d'une entreprise, 78
Occasions d'affaires
élément du plan d'affaires, 80
reconnaissance des bonnes, 8, 10, 11, 126, 182
Offre d'emploi en ligne, 119
Open Directory, 144
Ordre des comptables agréés du Québec, 205

P

Page d'accueil, 144
Paiement
au comptant, 7, 8
paiement en biens, 190-191
en retard, 58-59, 102, 109
(voir aussi Procédures de recouvrement)
par acomptes, 60

par carte de crédit, 44
Paiement hypothécaire (déduction), 30
Passif
achat d'entreprise, 23
équation actif/passif, 154
Pension (pour le financement d'une entreprise), 53
Période d'essai, 120
Période de grâce sans intérêt (carte de crédit), 53, 104
Périodes de crise, 68-70, 102-103
Permis, 32, 80
Personnel à plein temps, 26, 103, 113
Personnel à temps partiel, 114, 118
Perte déductible au titre d'un placement d'entreprise, 178
Petite entreprise
analyse du plan d'affaires, 83
caractéristiques, 11-12
clients, 18
création de site Web, 140-145
démarrage (voir Démarrage)
facteurs de réussite, 13-21
financement, 45-72
fournisseurs, 20
gérée par une femme, 11, 212
organisme de pression (voir Fédération canadienne de l'entreprise indépendante)
relations familiales, 7, 14-15
ressources, 195-214
revenus annuels, 10
services bancaires, 63-67
statistiques, 10, 11
taux de réussite (1re année), 10
vente, 180-194
Petites annonces, 118, 187
Phase de croissance (cycle économique), 23, 25
voir aussi Croissance
Phase de démarrage, 23
voir aussi Démarrage
Phase de maturité (cycle économique), 23
Placements (Diversification des), 181
Plan d'affaires, 73-84
avantages, 69, 73, 74, 75
dépenses, 81
éléments, 74, 77
évolution, 75
modèle, 77
plan d'urgence, 82, 90
présentation, 82
produits-services, 78
révision, 75, 84, 131, 136, 180
secteur d'activité, 79
stratégie de marketing, 79
structure de l'entreprise, 78
Plan d'urgence, 82, 90
Plan financier (élément du plan d'affaires), 81
Planificateur financier, 86
PME Québeclic, 199
Politique de retours, 142
Portail des affaires, 199
Prestations d'assurance-emploi, 116
Prêt, 32, 42, 46, 87
à terme, 47, 101
demande, 49
des actionnaires, 178
LFPEC, 48
non garanti, 48
refus, 66
Prévisions des flux de trésorerie, 102, 104, 107, 131, 134
voir aussi Flux de trésorerie
Prime, 155
Prix et tarifs
augmentation des, 62
comparaison avec ceux de la concurrence, 62
Produits-services (plan d'affaires), 78
Professions, 43
Profit Guide, 199
Promotions, 93, 94
Propriétaire d'entreprise
clés de la réussite, 13-21
décision quant à la croissance, 127-128, 136-137
immigrants, 11
qualités, 10
sources de fonds, 45
valeur (voir Valeur nette)
Propriété résidentielle comme source de fonds, 49
Propriété, utilisée comme garantie, 49
Publicité, 92, 148
agence de, 92
en ligne, 148

Q

Qualité (Produits et services de), 96
Qualité de vie, 12, 14, 26, 28-29

R

Ralentissement de l'économie, 111-112
RAP
voir Régime d'accession à la propriété
Rapport de solvabilité, 67, 70, 71, 72, 98
Rapport qualité-prix, 62
Recherche, 22
en ligne, 139, 140
ressources, 210
Recouvrement des comptes clients, 58, 109
agence de, 109
Recrutement (élément du plan d'affaires), 79
agence de, 118
REER (régime enregistré

d'épargne-retraite)
au profit du conjoint, 111
autogéré, 55
cotisation maximale admissible, 110
pour financer l'entreprise, 54
retraits, 54
transfert de l'allocation de retraite, 179
vente de l'entreprise, 179
Références
d'emploi (vérification), 121
élément du plan d'affaires, 82
Régime d'accession à la propriété (RAP), 55
Régime de pensions du Canada (RPC), 116
Régime des rentes du Québec (RRQ), 115
Registres
crédit aux clients, 102
emploi, 116, 121
entreprise individuelle, 32
voir aussi États financiers
Règlements (élément du plan d'affaires), 80
Règlements du secteur d'activité, 32
Relation
banquier/client, 16-17, 22, 31, 44, 49-67, 86, 111, 132
clients-propriétaire d'entreprise, 28 (voir aussi Clients)
entreprise-clients, 18, 95-98
familiale, 14, 127 (voir aussi Équilibre entre vie privée et vie professionnelle)
réussie, 65, 69
Relevés 1 sommaire, 117
Rendement des employés (Analyse du), 123
Rénovations, 28, 48
voir aussi Améliorations locatives
Rentrées de fonds, 105
Répertoire de recherche, 144
Représentant, 92
Représentation, frais de, 179
Réseau des femmes d'affaires du Québec, 214
Réseautage, 16, 65, 86, 119
électronique, 140-145
Responsabilité
des actionnaires, 40
entreprise individuelle, 33, 36
société de capitaux, 38-39, 42
société de personnes, 34, 35, 37
société en commandite, 37
Ressources, 195-214
Ressources humaines, 133
voir aussi Embauche de personnel; Gestion des ressources humaines
Retard, paiement en
voir Paiement en retard
Retenues d'impôt sur les salaires, 115
Retraite, 12, 181, 182
allocation de, 179
anticipée, 12
voir aussi REER
Rétrofacturation, 44
Réunions
des actionnaires (voir Assemblée des actionnaires)
entreprise à domicile, 28
Réussite
clés de la, 13-21, 92-94
définition, 66
mesure, 150 (voir aussi États financiers)
Revenu Canada
voir Agence des douanes et du revenu du Canada
Revenu Québec, 211
Risques (élément du plan d'affaires), 80
RPC
voir Régime de pensions du Canada
RRQ
voir Régime des rentes du Québec

S

Salaire
augmentation, 125
minimum, 115
retenues d'impôt, 115
Satisfaction, 12
Sécurité sur le Net, 148
Séminaires, 202
Service à la clientèle, 129
promesse de service, 96
Services bancaires
en ligne, 139
voir aussi Petite entreprise, services bancaires
Signatures en ligne, 146
Site Web
brochure, 141
concepteurs, 92, 141, 148
conception, 140-145
sécurité, 148
Société - structure
voir Structuration
Société à numéro, 39
Société de capitaux, 38
achat, 23
avantages, 38, 40
avoir des actionnaires, 154-155
comparée à une entreprise individuelle, 41
comparée à une société de personne, 41
enregistrement, 39
fermeture, 41
fiscalité, 152
inconvénients, 42
procédure de vote, 40
vente, 190
Société de fiducie, 46
Société de financement, 46

Société de personnes
  avantages, 35, 36-37
  comparée à une entreprise individuelle, 36
  comparée à une société de capitaux, 41
  dissolution, 35, 37, 182
  fiscalité, 37, 37, 152
  législation, 34
  litiges, 182
  vente, 190
Société de portefeuille, 62
Société en commandite, 37
Solvabilité
  enquête de, 71, 98, 108
  erreurs dans un rapport de solvabilité, 67, 70, 71
  rapport de, 67, 70, 71, 72, 98
Sommaire (plan d'affaires), 82
Sources d'information d'affaires, 195-214
Soutien technique (affaires électroniques), 143, 148
Spécialistes, 86
Stocks
  contrôle des, 61, 99
  désuets, 99-100
  juste à temps, 99
  surstockage, 61
Stratégie de marketing (plan d'affaires), 79
Strategis, 200
Stress
  de l'embauche pendant la phase de croissance, 136
  de l'endettement, 67-70
Structuration de l'entreprise, 31-43
  constitution en société de capitaux, 38-43
  déclaration de revenus, 151-152
  entreprise individuelle, 31-34
  plan d'affaires, 78
  société de personnes, 26-38
  types, 31-43
  valeur nette, 154
Surstockage, 61
  voir aussi Gestion des stocks

T

T4 sommaires, 117
Taille d'une nouvelle entreprise, 25
Taux de change, 130
Taux d'intérêt préférentiel, 46-47
Techniques d'entrevue (pratique des), 119
Technologie de l'information, 134
Temps
  partiel, 114, 118
  plein, 26, 103, 113
  supplémentaire, 115
Tim Hortons, 23
Tip Top Tailors, 7
TPS et TVQ, 39, 43, 51, 151, 152, 153, 211
TransUnion, 72, 201
Travail autonome (avantages), 12
Trésorerie
  voir Flux de trésorerie
Trousse de constitution de société, 39
Trousse d'information pour les employeurs, 116
TVQ
  voir TPS

V

Valeur comptable, 188
Valeur nette, 50, 154
Vente, 97
  au comptant, 7
  entreprise en croissance, 135-137
  sous pression, 97, 98
Vente d'une entreprise, 180-194
  acheteur potentiel, 184
  acquisition par emprunt, 191
  conclusion, 193
  dossier d'information, 184
  experts, 185
  fixation du prix (méthodes), 186, 187, 188
  négociations, 189-192
  offre, 192
  paiement, 189-192
  raisons, 182
  valeur, 181
  vendre soi-même, 187
Visa, 44
Vol (assurance), 91
Vote, procédure de
  voir Société de capitaux
Vue d'ensemble du secteur d'activité (plan d'affaires), 79

W

Web
  voir Site Web
Wendy's, 23

Y

Yahoo!, 144